3

LAROUSSE

Vocabulario básico del inglés

MANUAL PRÁCTICO

LAROUSSE

Publicado en Francia en 2004 por Chambers Harrap Publishers Ltd con el título
Vocabulaire Anglais.

© Chambers Harrap Publishers Ltd 2004
7 Houpetoun Crescent, Edinburgh EH7 4AY

De la presente edición:
© Larousse Editorial, S.L., 2012
Mallorca, 45, 3ª planta
08029 Barcelona
larousse@larousse.es
www.larousse.es

Dirección editorial: Jordi Induráin
Coordinación editorial: María José Simón

Realización y preimpresión: La Cifra
Coordinación de la obra: Sergio Aguilar

Diseño de cubierta: Isaac Gimeno

ISBN: 978-84-15411-20-8
Depósito legal: B. 5105-2012

# Prólogo

Este manual esta ideado para responder a las necesidades de todos aquellos que están aprendiendo la lengua inglesa y desean adquirir el vocabulario necesario para expresarse tanto por escrito como en el lenguaje hablado.

Con más de 7.000 palabras clasificadas en 66 áreas temáticas y numerosas expresiones de uso del inglés actual, este libro representa una verdadera fuente que enriquecerá el vocabulario de todo lector. Cada capítulo, dividido en subtemas, permite profundizar en el conocimiento de la lengua en cada área y situación concretas.

Además, al final de todos los capítulos, el lector encontrará un listado de frases de ejemplo en las que las palabras y expresiones aparecen en contexto, a fin tanto de ilustrar su uso como de subrayar una eventual excepción o peculiaridad lingüística. Asimismo, algunos capítulos incluyen también observaciones referidas a «falsos amigos» y otros aspectos lingüísticos o culturales.

Finalmente, el índice alfabético de unas 2.000 palabras en español permite encontrar fácilmente el capítulo o capítulos donde aparece la traducción inglesa de dichos términos.

Así, este manual se convierte en una herramienta de trabajo indispensable para abordar con éxito el estudio de la lengua inglesa.

Abreviaturas usadas en el texto:

U.S.	inglés americano
Brit.	inglés británico
fam.	registro familiar
sing.	singular
pl.	plural

ÍNDICE

1 DESCRIBING PEOPLE
DESCRIPCIÓN DE UNA PERSONA

to be	*ser, estar*
to have	*tener, haber*
to look	*parecer, asemejarse*
to seem	*parecer*
to weigh	*pesar*
to describe	*describir*
quite	*bastante*
rather	*más bien*
very	*muy*
too	*demasiado*
a little	*un poco*
description	*descripción*
appearance	*apariencia*
look	*aspecto*
figure	*figura, silueta*
height	*altura, estatura*
size	*talla, número (ropa, calzado)*
weight	*peso*
face	*cara, rostro*
hair	*cabello(s), pelo*
beard	*barba*
moustache, *(U.S.)* mustache	*bigote*
eyes	*ojos*
nose	*nariz*
skin	*piel*
complexion	*tez, cutis*
spot	*lunar, grano*
pimple	*grano, espinilla*
mole	*lunar*
beauty spot	*lunar postizo*
freckles	*pecas*
wrinkles	*arrugas*
dimples	*hoyuelos*
glasses	*gafas*
contact lenses	*lentillas, lentes de contacto*

young	*joven*
old	*viejo*
tall	*alto*
small	*bajo, pequeño*
of average height	*de mediana estatura*
plump	*rechoncho, rollizo*
fat	*gordo, grueso*
obese	*obeso*
thin	*delgado, flaco*
skinny	*flaco, escuálido*
slim	*delgado, esbelto*
muscular	*musculoso*
beautiful	*bello, hermoso*
good-looking	*guapo, bien parecido*
handsome	*guapo, seductor*
attractive	*atractivo*
pretty	*bonito, lindo, mono*
sweet	*dulce, adorable*
cute	*mono, guapo*
ugly	*feo, horrible*
spotty	*con granos*
sun-tanned	*moreno de piel, bronceado*
pale	*pálido*
wrinkled	*con arrugas*
to have... eyes	*tener los ojos...*
blue	*azules*
green	*verdes*
grey, *(U.S.)* gray	*grises*
brown	*marrones*
hazel	*color miel (o avellana)*
black	*negros*
right-handed	*diestro*
left-handed	*zurdo*

what's he like?	can you describe her?
¿cómo es?	*¿puedes describirla?*
how tall are you?	I'm 5 feet 9 inches (1.75 metres) tall
¿cuánto mides?	*mido 1,75 metros (de altura)*
how much do you weigh?	I weigh 11 stone(s) (70 kilos)
¿cuánto pesas?	*peso 70 kilos*

do you find him attractive?
¿lo encuentras atractivo?

he looks a bit strange
parece un poco raro

he's got beautiful eyes
tiene los ojos bonitos

she has a dark/fair complexion
es de tez oscura/clara

I'm left-handed but my sister is right-handed
yo soy zurdo, pero mi hermana es diestra

Nota:

★ Falso amigo: figure significa «cifra», «figura», «silueta» o «personaje», según el contexto.

★ Falso amigo: complexion significa «tez», «cutis», «cariz» o «aspecto» de las cosas, según el contexto. No se debe de usar como «constitución física».

★ El complemento del nombre introducido en inglés por la preposición with en español puede ir precedido por las preposiciones «con» o «de».

the man with the white beard   a woman with blue eyes
el hombre de/con barba blanca   una mujer de/con ojos azules

Véanse también los capítulos:

2 CLOTHES AND FASHION LA ROPA Y LA MODA

to dress	*vestirse*
to dress up	*ponerse elegante*
to undress	*desvestirse*
to put on	*ponerse (ropa)*
to take off	*quitarse (ropa)*
to try on	*probarse*
to wear	*llevar puesto, vestir*
to suit	*vestir (aspecto)*
to fit	*vestir (talla), sentar bien*

clothes la ropa

coat	*abrigo*
fur coat	*abrigo de piel*
overcoat	*gabán, sobretodo*
raincoat	*impermeable*
anorak	*anorak*
cagoule *(Brit.)*	*canguro, chubasquero*
bomber jacket	*cazadora*
jacket	*chaqueta, americana*
suit	*traje (hombre), vestido, traje (mujer)*
dinner jacket *(Brit.)*	*esmoquin*
tuxedo	*esmoquin*
uniform	*uniforme*
trousers *(Brit.)*	*pantalón, pantalones*
pants *(U.S.)*	*pantalón, pantalones*
combat trousers	*pantalón militar*
bootcut o bootleg trousers	*pantalón de talle bajo ligeramente acampanado*
flares *(Brit.)*	*pantalones de campana/acampanados*
hipsters *(Brit.)*	*pantalones de tiro corto*
ski pants	*pantalón de esquí*
jeans	*pantalón tejano, vaquero, jeans*
dungarees *(Brit.)*	*mono, pantalón de peto*
overalls *(U.S.)*	*mono, overol, pantalón de peto*

tracksuit	*chándal*
shorts	*pantalones cortos*
dress	*ropa, vestido*
evening dress	*traje de noche, de etiqueta*
skirt	*falda*
pleated skirt	*falda plisada*
mini-skirt	*minifalda*
culottes	*falda pantalón*
kilt	*falda escocesa*
jumper *(Brit.)*	*jersey, suéter*
sweater	*suéter*
heavy jumper	*jersey grueso*
polo neck (jumper)	*cuello vuelto, cuello alto (jersey de)*
V neck (jumper)	*cuello de pico/en V (jersey de)*
crew neck (jumper)	*cuello de barco (jersey de)*
waistcoat *(Brit.)*	*chaleco (de tela)*
vest *(U.S.)*	*chaleco (de tela)*
cardigan *(Brit.)*	*chaqueta de punto, cárdigan, rebeca*
cardigan sweater *(U.S.)*	*rebeca, jersey de punto*
shirt	*camisa*
blouse	*blusa*
top	*top*
nightdress, *(fam.)* nightie	*camisón de noche*
pyjamas, *(U.S.)* pajamas	*pijama*
dressing gown	*bata*
bathrobe *(U.S.)*	*albornoz, bata de baño*
bikini	*biquini*
swimsuit	*bañador (para mujer)*
swimming costume *(Brit.)*	*traje de baño, bañador (para mujer)*
swimming o bathing suit *(U.S.)*	*traje de baño (para mujer)*
(swimming) trunks	*bañador (para hombre)*
pants *(Brit.)*	*calzoncillos, bragas, calzones,*
panties *(U.S.)*	*bragas*
boxer shorts, boxers	*calzones, calzoncillos boxer*
bra	*sujetador, sostén*
vest *(Brit.)*	*camiseta sin mangas (ropa interior)*
undershirt *(U.S.)*	*camiseta sin mangas (ropa interior)*
T-shirt	*camiseta*
sweatshirt	*sudadera*
underskirt	*enaguas, combinación*
petticoat	*combinación, enaguas*
suspenders *(Brit.)*	*liguero*

garter belt *(U.S.)*	*liguero*
stockings	*medias*
tights *(Brit.)*	*panty*
pantihose *(U.S.)*	*panty, malla*
socks	*calcetines*
ankle socks	*calcetines cortos*

 footwear los zapatos

shoes	*zapatos*
boots	*botas*
wellington boots, wellingtons *(Brit.)*	*botas de goma/agua*
ankle boots	*botines*
knee(-length) boots	*botas altas (a la altura de la rodilla)*
trainers *(Brit.)*	*zapatillas de deporte*
sneakers *(U.S.)*	*zapatillas de deporte (de lona)*
gym shoes	*zapatillas de gimnasia*
ski boots	*botas de esquí*
sandals	*sandalias*
stilettos	*zapatos con tacón de aguja*
espadrilles	*alpargatas*
flip-flops *(Brit.)*	*chancletas*
thongs *(U.S.)*	*chancletas*
slippers	*zapatillas, pantuflas*
a pair of	*un par de*
sole	*suela, plantilla*
heel	*talón, tacón*
flat heels	*tacones planos*
high heels	*tacones altos*
stiletto heels	*tacones de aguja*

 accessories los accesorios

hat	*sombrero*
bowler hat *(Brit.)*	*bombín, sombrero hongo*
derby *(U.S.)*	*bombín, sombrero hongo*
straw hat	*sombrero de paja*
sun hat	*pamela, sombrero de ala ancha*
beret	*boina*
cap	*gorra*
baseball cap	*gorra de béisbol*
shawl	*chal*
scarf	*bufanda*
headscarf	*pañuelo, fular*

gloves	*guantes*
mittens	*manoplas*
tie	*corbata*
bow tie	*pajarita*
braces *(Brit.)*	*tirantes*
suspenders *(U.S.)*	*tirantes*
belt	*cinturón*
collar	*cuello*
pocket	*bolsillo*
button	*botón*
cufflinks	*gemelos*
zip *(Brit.)*	*cremallera*
zipper *(U.S.)*	*cremallera*
shoelaces	*cordones (de zapatos)*
ribbon	*cinta*
handkerchief	*pañuelo (de bolsillo), mocador*
umbrella	*paraguas*
handbag *(Brit.)*	*bolso de mano*
purse *(U.S.)*	*bolso, monedero*
shoulder bag	*bolso de bandolera*

jewellery las joyas

jewel	*joya*
silver	*plata*
gold	*oro*
precious stone	*piedra preciosa*
gem	*gema, piedra preciosa*
pearl	*perla*
diamond	*diamante*
emerald	*esmeralda*
ruby	*rubí*
sapphire	*zafiro*
ring	*sortija, anillo*
wedding ring	*anillo de bodas, alianza*
earrings	*pendientes*
bracelet	*pulsera, brazalete*
bangle	*brazalete (rígido)*
brooch	*broche*
necklace	*collar*
chain	*cadena*
pendant	*colgante*
watch	*reloj*

costume jewellery	*bisutería*
gold ring	*anillo de oro*
pearl necklace	*collar de perlas*

size la talla

size	*talla (de ropa)*
waist	*cintura, talle*
shoe size	*número o talla (de zapatos)*
collar size	*talla de cuello*
hip measurement	*talla de caderas*
bust o chest measurement	*talla de pecho/busto*
waist measurement	*talla de cintura*

small	*pequeña (talla)*
medium	*mediana*
large	*grande*
short	*corto*
long	*largo*
wide	*ancho*
loose-fitting	*amplio, holgado*
tight	*ajustado, estrecho*
(too) tight	*muy ajustado*
clinging	*ceñido*
close-fitting	*muy ceñido*

styles los estilos

model	*modelo, diseño, muestra*
design	*diseño*
style	*estilo*
colour	*color*
shade	*color, tono*
pattern	*patrón*

plain	*liso*
printed	*estampado*
embroidered	*bordado*
check(ed) *(Brit.)*	*a cuadros*
checkered *(U.S.)*	*a cuadros*
flowered, flowery	*de flores, floreado*
with pleats, pleated	*plisado, con pliegues*
polka-dot	*de lunares/topos*
spotted	*a topos, de lunares*
striped	*a rayas*

elegant	*elegante*
smart	*chic, elegante*
formal	*trajeado, de etiqueta*
casual	*informal*
sloppy	*desaliñado*
simple	*sencillo*
sober	*sobrio*
loud	*chillón*
gaudy	*chillón*
fashionable	*a la moda*
old-fashioned	*pasado de moda*
made-to-measure	*hecho a medida*
low-cut	*escotado*

fashion la moda

(winter) collection	*colección (de invierno)*
clothing industry	*industria de la confección*
dressmaking	*costura, corte y confección*
fashion design	*alta costura*
fashion designer	*modisto, diseñador de modas*
dressmaker	*modista, costurera*
model	*modelo (de moda), maniquí*
fashion show	*desfile de moda*

---

cotton/woollen socks
calcetines de algodón/lana

it's (made of) leather
(hecho) de piel

I'd like a skirt that matches this shirt
querría una falda que combinara con esta camisa

what is your size?
¿qué talla tiene?

try it on for size
pruébeselo para ver la talla

what size (of shoes) do you take?
¿qué número calza?

I take a size *(Brit.)* 5 o *(U.S.)* 6 (shoe)
calzo un 38

I need to get changed first
primero tengo que cambiarme

he was all dressed up
iba todo trajeado

I can't undo my laces/tie
no puedo desatarme los cordones/deshacerme la corbata

she always dresses very smartly
viste siempre muy elegante

Nota:

★ Los verbos to fit y to suit no deben confundirse. El primero hace referencia a la talla, mientras que el segundo se utiliza para hablar del aspecto o de la apariencia.

this top doesn't fit me, it's too small
este top no me va bien, es demasiado pequeño

this red top doesn't suit me
este top rojo no me favorece

★ Los nombres ingleses en plural que designan prendas de vestir que constan de dos partes idénticas no tienen singular y siempre van precedidos de a pair of si queremos señalar su número:

a pair of trousers
un patalón/unos pantalones

two pairs of trousers
dos pantalones/dos pares de pantalones

this is a nice pair of trousers
es un pantalón bonito/son unos pantalones bonitos

those are nice trousers
son unos pantalones bonitos

Lo mismo sucede en el caso de shorts, dungarees, pants, etc.

Véanse también los capítulos:

3 HAIR AND MAKE-UP
PEINADO Y MAQUILLAJE

to do one's hair	*peinarse, arreglarse el pelo*
to comb one's hair	*peinarse*
to brush one's hair	*cepillarse el cabello*
to wash one's hair	*lavarse el cabello/pelo*
to condition one's hair	*acondicionarse el cabello*
to dye one's hair	*teñirse el cabello/pelo*
to dye one's hair blonde	*teñirse (el cabello) de rubio*
to straighten one's hair	*alisarse el cabello*
to get o have a haircut	*cortarse el pelo*
to get o have one's hair dyed	*teñirse el pelo*
to get o have one's hair curled	*rizarse el pelo*
to get a perm	*hacerse una permanente*
to get o have a blow-dry	*secarse el pelo (con secador)*
to get highlights	*hacerse mechas o reflejos*
to put one's hair up	*recogerse el pelo*
to take one's hair down	*soltarse el pelo*
to wear one's hair up	*llevar el pelo recogido*
to cut	*cortar*
to trim	*igualar*
to put one's make-up on	*maquillarse*
to remove o take off one's make-up	*desmaquillarse*
to put on perfume	*perfumarse*
to paint one's nails, to put on	*pintarse las uñas*
nail varnish	*esmalte de uñas*
to shave	*afeitar, afeitarse*
to wax	*depilar, depilarse (a la cera)*
to pluck one's eyebrows	*depilarse las cejas*

hair length /colour
longitud/color del cabello

to have... hair	*tener el cabello...*
short	*corto*
long	*largo*
medium-length	*en/a media melena*
blond	*rubio (muy rubio)*

fair	*claro, rubio, castaño claro*
brown	*moreno*
chestnut	*castaño*
black	*negro*
red	*pelirrojo*
auburn	*castaño rojizo*
grey, *(U.S.)* gray	*gris, cano*
greying, *(U.S.)* graying	*entrecano*
white	*blanco*

to be...	*ser...*
blond	*rubio*
fair-haired	*castaño claro*
dark-haired	*moreno*
red-headed	*pelirrojo*
auburn	*castaño rojizo*

to be bald	*estar calvo*

hairstyles los peinados

to have... hair	*tener el cabello...*
curly	*rizado*
wavy	*ondulado*
straight	*liso, lacio*
fine	*fino*
thick	*grueso, espeso*
dyed	*teñido*
greasy	*graso*
dry	*seco*

to have a crew-cut	*llevar el pelo (cortado) al rape*

(hair)cut	*corte (de pelo)*
bob	*corte de pelo a lo* garçon
perm	*permanente*
blow-dry	*secado*
curl	*rizo*
lock (of hair)	*mechón (de pelo)*
highlights	*mechas, reflejos*
fringe *(Brit.)*	*flequillo*
bangs *(U.S.)*	*flequillo*
ponytail	*cola de caballo*
bun	*moño*
plait *(Brit.)*	*trenza*
braid *(U.S.)*	*trenza, cola trenzada*

pigtail	*trenza, cola trenzada, coleta corta*
bunches *(Brit.)*	*coletas, coleta corta*
comb	*peine*
(hair)brush	*cepillo del pelo*
hairslide *(Brit.)*	*pasador*
barrette *(U.S.)*	*pasador*
hairpin	*horquilla*
roller	*rulo, bigudí*
tongs	*pinza del pelo*
straighteners	*alisador*
hot o styling brush	*cepillo moldeador*
hair dryer	*secador de pelo*
wig	*peluca*
shampoo	*champú*
anti-dandruff shampoo	*champú anticaspa*
conditioner	*acondicionador*
styling products	*productos para el cabello*
gel	*gel*
mousse	*espuma*
hairspray	*laca para el cabello, fijador*

make-up el maquillaje

beauty	*belleza*
face cream	*crema de belleza*
cleanser	*desmaquillante*
toner	*loción tonificante*
moisturizer	*crema/leche hidratante*
night cream	*crema de noche*
eye cream	*crema de ojos*
(facial) scrub	*exfoliante*
face pack	*mascarilla de belleza*
powder	*polvos*
compact	*polvera*
foundation	*crema base (para maquillaje)*
blusher	*colorete*
lipstick	*barra de labios*
lip gloss	*brillo de labios*
lip pencil	*lápiz de labios*
mascara	*máscara de ojos, rímel*
eye shadow	*sombra de ojos*
eye liner	*delineador de ojos*
eyebrow pencil	*lápiz de cejas*
nail varnish o polish	*esmalte de uñas*

make-up remover	*desmaquillador (producto)*
nail varnish o polish remover	*quitaesmalte*
perfume	*perfume*
deodorant	*desodorante*
body lotion	*leche corporal*

 shaving and hair removal afeitado y depilación

beard	*barba*
moustache, *(U.S.)* mustache	*bigote*
razor	*navaja/maquinilla de afeitar*
electric shaver	*maquinilla de afeitar eléctrica*
razor blade	*cuchilla de afeitar*
shaving brush	*brocha de afeitar*
shaving foam	*espuma de afeitar*
after-shave	*loción para después del afeitado, after shave*

hair	*pelo, vello*
hair removal	*depilación*
hair remover	*crema depilatoria*
waxing	*depilación a la cera*
plucking the eyebrows	*depilación de las cejas*
tweezers	*pinzas de depilar*

---

she has ø dandruff
tiene caspa

shampoo for dry/greasy hair
champú para cabellos secos/grasos

she dyed her hair ø red
se tiñó el cabello de pelirrojo

she has had her hair highlighted
se ha hecho mechas/reflejos

she wears her hair in a bun
lleva el pelo recogido en un moño

she had a lot of make-up on
llevaba mucho maquillaje

Nota:

★ La construcción en inglés to have/to get + participio se traduce en español por un verbo pronominal:

she's just had her legs waxed
acaba de depilarse las piernas

I got my hair cut
me he cortado el pelo

★ En algunas frases de este tipo, en inglés se utiliza el artículo posesivo mientras que en español se usa el verbo pronominal seguido del artículo definido.

I need to brush my hair
tengo que cepillarme el cabello

★ Atención: hair es un sustantivo incontable cuando hace referencia al cabello o al pelo (o vello) en general, por lo que el verbo debe de ir en singular:

my hair is a mess   your hair looks nice
voy despeinada   *vas bien peinada*

4 THE HUMAN BODY
EL CUERPO HUMANO

parts of the body las partes del cuerpo

head	*cabeza*
neck	*cuello*
throat	*garganta*
nape (of the neck)	*nuca*
shoulder	*hombro*
chest	*pecho, tórax*
bust	*busto, pecho*
breasts	*senos, pecho*
stomach	*vientre*
back	*espalda*
arm	*brazo*
elbow	*codo*
hand	*mano*
wrist	*muñeca*
fist	*puño*
finger	*dedo*
little finger	*(dedo) meñique*
third o ring finger	*(dedo) anular*
middle finger	*(dedo) medio/corazón*
index finger	*(dedo) índice*
thumb	*(dedo) pulgar*
nail	*uña*
waist	*cintura, talle*
hip	*cadera*
bottom	*trasero, culo*
buttocks	*nalgas*
leg	*pierna*
thigh	*muslo*
knee	*rodilla*
calf	*pantorrilla*
ankle	*tobillo*
foot *(pl.* feet*)*	*pie*
heel	*talón*
toe	*dedo del pie*
organ	*órgano*
limb	*miembro*

muscle	*músculo*
skin	*piel*
flesh	*carne*
blood	*sangre*
vein	*vena*
artery	*arteria*
bone	*hueso*
skeleton	*esqueleto*
spine	*columna vertebral*
rib	*costilla*
heart	*corazón*
lung	*pulmón*
digestive system	*aparato digestivo*
stomach	*estómago*
liver	*hígado*
kidney	*riñón*
bladder	*vejiga*

the head la cabeza

skull	*cráneo*
brain	*cerebro*
hair	*cabello, pelo*
face	*rostro, cara*
features	*rasgos*
forehead	*frente*
brow	*frente, entrecejo*
eyebrow	*ceja*
eyelash	*pestaña*
eye	*ojo*
eyelid	*párpado*
pupil	*pupila*
nose	*nariz*
nostril	*ventana nasal*
cheek	*mejilla*
cheekbone	*pómulo*
temple	*sien*
jaw	*mandíbula*
mouth	*boca*
lips	*labios*
tongue	*lengua*
tooth *(pl. teeth)*	*diente*
milk tooth	*diente de leche*
wisdom tooth	*muela del juicio*
chin	*mentón, barbilla*
double chin	*papada*

dimple	*hoyuelo*
ear	*oreja*
ear lobe	*lóbulo de la oreja*

he's got a pug nose
tiene la nariz respingona

he has prominent o high cheekbones
tiene los pómulos muy prominentes

he has delicate/coarse features
tiene rasgos suaves/muy marcados

he clenched his fist and hit him in the face/stomach
cerró el puño y le golpeó en la cara/el vientre

Véanse también los capítulos:

5 HOW ARE YOU FEELING? ¿CÓMO SE ENCUENTRA?

to feel	*sentirse*
to be...	*tener...*
warm	*calor*
hot	*(mucho) calor*
roasting *(fam.)*	*muchísimo calor*
cold	*frío*
freezing *(fam.)*	*mucho frío*
hungry	*hambre*
ravenous	*un hambre de lobo*
thirsty	*sed*
sleepy	*sueño*
starving *(fam.)*	*hambriento, famélico*
(very) fit	*en (plena) forma*
on (top) form	*en (plena) forma*
strong	*fuerte*
tired	*cansado, fatigado*
exhausted	*exhausto, extenuado*
worn-out	*agotado*
lethargic	*aletargado, alelado*
weak	*débil*
frail	*frágil, delicado*
healthy	*sano, saludable*
in good health	*en buen estado de salud*
sick	*enfermo*
ill	*enfermo, malo*
awake	*despierto, despejado*
alert	*alerta*
agitated	*agitado, inquieto*
half-asleep	*medio dormido, adormilado*
asleep	*dormido*
soaked	*empapado*
frozen	*helado*
too	*demasiado*
totally	*completamente*

he looks tired	he's on top form
parece cansado	*está en plena forma*
I feel weak	I feel ill
me siento débil	*me siento mal/enfermo*
I'm too hot	I'm roasting o sweltering!
tengo mucho calor	*¡me muero de calor!*
I'm freezing!	I'm starving!
¡estoy helado!	*¡me muero de hambre!*
I'm exhausted	I'm worn-out
estoy exhausto	*estoy agotado*
I've had enough	I feel sleepy
he tenido bastante	*me siento adormecido/soñoliento*

Véase también el capítulo:

6   SALUD, ENFERMEDAD Y DISCAPACIDADES

6 HEALTH, ILLNESSES AND DISABILITIES

SALUD, ENFERMEDAD Y DISCAPACIDADES

to be...	*estar...*
well	*bien*
unwell	*mal, malo (enfermo)*
ill	*enfermo*
better	*mejor*
worse	*peor*
to fall ill	*caer enfermo*
to catch	*coger (una enfermedad)*
to have...	*tener...*
a sore stomach	*dolor de estómago*
a sore throat	*dolor de garganta*
a headache	*dolor de cabeza*
backache	*dolor de espalda*
earache	*dolor de oído*
toothache	*dolor de muelas*
to have one's period	*tener la regla/el periodo*
to feel sick	*sentirse mal*
to be/feel seasick	*estar/sentirse mareado*
to be in pain	*padecer, sufrir*
to suffer (from)	*sufrir (de)*
to have a cold	*estar resfriado*
to have a heart condition	*estar enfermo del corazón*
to break one's leg/arm	*romperse una pierna/un brazo*
to sprain one's ankle	*torcerse el tobillo*
to hurt one's hand	*hacerse daño en la mano*
to hurt one's back	*hacerse daño en la espalda*
to hurt	*doler*
to bleed	*sangrar*
to vomit	*vomitar*
to cough	*toser*
to sneeze	*estornudar*
to sweat	*sudar*
to shake	*temblar*
to shiver	*tiritar, tener escalofríos*
to have a temperature o fever	*tener fiebre*

to faint	*desmayarse*
to collapse	*sufrir un colapso*
to be in a coma	*estar en coma*
to have a relapse	*tener una recaída*
to treat	*tratar*
to nurse	*cuidar, atender*
to tend	*atender*
to look after	*cuidar, ocuparse de*
to call	*llamar*
to send for	*llamar (a un médico)*
to make an appointment	*pedir hora (para el médico)*
to examine	*examinar, explorar*
to advise	*aconsejar, recomendar*
to prescribe	*prescribir*
to operate	*operar*
to have an operation	*operarse*
to have one's tonsils taken out	*operarse de amígdalas*
to X-ray	*radiografiar*
to dress a wound	*vendar una herida*
to need	*necesitar, precisar*
to take	*tomar*
to rest	*descansar, reposar*
to be convalescing	*estar convaleciente*
to heal	*sanar, curarse, recuperarse*
to recover	*reponerse*
to be on a diet	*estar a dieta*
to lose weight	*perder peso*
to put on weight	*ganar peso*
to swell	*inflamar, hinchar*
to become infected	*infectarse*
to get worse	*empeorar*
to die	*morir*
to give birth	*dar a luz, parir*
ill	*enfermo*
sick	*enfermo, malo*
unwell	*malo, indispuesto*
weak	*débil*
cured	*curado*
in good health	*saludable*
alive	*vivo*
allergic to	*alérgico a*
anaemic, *(U.S.)* anemic	*anémico*

diabetic	*diabético*
constipated	*estreñido*
painful	*doloroso*
contagious	*contagioso*
serious	*grave*
infected	*infectado*
swollen	*inflamado*
broken	*fracturado, roto*
sprained	*torcido*

 ## pregnancy el embarazo

period	*regla, periodo*
sanitary *(Brit.)* towel o *(U.S.)* napkin	*compresa*
tampon	*tampón*
pregnant	*embarazada*
labour, *(U.S.)* labor	*parto*
childbirth	*alumbramiento, parto*
miscarriage	*aborto natural/espontáneo*
abortion	*aborto*

illnesses las enfermedades

disease	*enfermedad*
pain	*dolor*
epidemic	*epidemia*
fit	*crisis*
attack	*ataque*
wound	*herida*
sprain	*torcedura, esguince*
fracture	*fractura, rotura*
haemorrhage, *(U.S.)* hemorrhage	*hemorragia*
bleeding	*sangrado, hemorragia*
fever	*fiebre*
temperature	*fiebre*
cough	*tos*
pulse	*pulso*
breathing	*respiración*
blood	*sangre*
blood group	*grupo sanguíneo*
blood pressure	*presión sanguínea*
abscess	*abceso*
AIDS	*sida*
appendicitis	*apendicitis*
arthritis	*artritis*

asthma	*asma*
bronchitis	*bronquitis*
cancer	*cáncer*
chickenpox	*varicela*
cold	*resfriado, catarro*
concussion	*conmoción cerebral*
constipation	*estreñimiento*
diarrhoea, *(U.S.)* diarrhea	*diarrea*
epilepsy	*epilepsia*
epileptic fit	*ataque de epilepsia*
flu	*gripe*
German measles	*rubeola*
hay fever	*fiebre del heno*
headache	*dolor de cabeza, cefalea*
heart attack	*ataque cardiaco*
hernia	*hernia*
indigestion	*indigestión*
infection	*infección*
leukaemia, *(U.S.)* leukemia	*leucemia*
measles	*sarampión*
migraine	*migraña*
mumps	*paperas*
nervous breakdown	*depresión nerviosa*
pneumonia	*neumonía*
rabies	*rabia*
rheumatism	*reumatismo*
rickets	*raquitismo*
shingles	*herpes (zoster)*
smallpox	*viruela*
stroke	*ataque (cardiaco)*
sunstroke	*insolación*
TB	*tuberculosis*
throat infection	*infección de garganta*
typhoid	*fiebre tifoidea*
ulcer	*úlcera*
upset stomach	*ataque hepático*
whooping cough	*tos ferina*

the skin la piel

burn	*quemadura*
cut	*corte*
scratch	*rasguño, arañazo*
bite	*picadura, mordedura (de insecto)*
itch	*picazón, prurito*
rash	*erupción (cutánea), sarpullido*

acne	*acné*
spots	*granos*
wart	*verruga*
corn	*callo (en el pie)*
blister	*ampolla (en la piel)*
bruise	*moratón, cardenal*
scar	*cicatriz*
sunburn	*quemadura (por el sol)*

 treatment los tratamientos

medicine	*medicina (ciencia)*
hygiene	*higiene*
health	*salud*
contraception	*contracepción*
(course of) treatment	*tratamiento*
health care	*cuidados de salud*
first aid	*primeros auxilios*
hospital	*hospital*
clinic	*clínica*
doctor's *(Brit.)* **surgery** o *(U.S.)* **office**	*consultorio médico*
emergency	*urgencia*
ambulance	*ambulancia*
stretcher	*camilla*
plaster cast	*escayola, yeso*
crutches	*muletas*
operation	*operación*
anaesthetic, *(U.S.)* anesthetic	*anestésico*
blood transfusion	*transfusión sanguínea*
X-ray	*radiografía*
diet	*régimen, dieta*
consultation	*consulta*
appointment	*cita*
prescription	*prescripción*
convalescence	*convalecencia*
relapse	*recaída*
recovery	*curación, recuperación*
death	*muerte*
doctor	*médico, doctor*
duty doctor	*médico de guardia*
specialist	*especialista*
consultant	*médico especialista*
nurse	*enfermera*
(male) nurse	*enfermero*
patient	*paciente, enfermo*

medication las medicinas

medicine	*medicina, medicamento*
pharmacy	*farmacia*
chemist's *(Brit.)*	*farmacia*
antibiotics	*antibióticos*
painkiller	*calmante, analgésico*
aspirin	*aspirina*
tranquillizer, *(U.S.)* tranquilizer	*calmante, tranquilizante*
sleeping tablet	*somnífero*
laxative	*laxante*
tonic	*reconstituyente*
vitamins	*vitaminas*
cough mixture	*jarabe contra la tos*
tablet	*tableta, comprimido*
lozenge	*pastilla*
pastille	*pastilla*
(contraceptive) pill	*píldora (anticonceptiva)*
mini-pill	*minipíldora*
drops	*gotas*
antiseptic	*antiséptico*
ointment	*pomada*
cotton wool *(Brit.)*	*algodón hidrófilo*
absorbent cotton *(U.S.)*	*algodón hidrófilo*
plaster *(Brit.)*	*escayola, yeso*
bandage	*apósito, venda*
dressing	*venda*
sticking plaster *(Brit.)*	*esparadrapo, tirita*
Band-Aid® *(U.S.)*	*tirita*
injection	*inyección*
vaccination	*vacuna*

at the dentist's en el dentista

tooth *(pl. teeth)*	*diente, muela*
dental *(Brit.)* surgery o *(U.S.)* office	*clínica dental, clínica odontológica*
dentures	*dentadura*
decay	*caries*
extraction	*extracción*
false teeth	*dentadura postiza*
filling	*empaste*
mouth ulcer	*llaga en la boca*
plaque	*placa (dentaria)*

disabilities discapacidades

disabled	*discapacitado*
mentally handicapped	*discapacitado mental*
to have Down's syndrome	*con síndrome de Down, trisómico*
blind	*invidente, ciego*
colour-blind	*daltónico*
short-sighted	*miope*
long-sighted	*présbita*
hard of hearing	*duro de oído*
hearing-impaired	*con problemas de audición*
deaf	*sordo*
deaf-mute	*sordomudo*
crippled	*discapacitado, minusválido*
lame	*cojo*
handicapped person	*discapacitado*
spastic	*discapacitado motriz*
mentally handicapped person	*discapacitado mental*
blind person	*invidente, ciego*
disabled person	*inválido, minusválido*
stick	*bastón*
cane	*bastón*
wheelchair	*silla de ruedas*
hearing aid	*audífono*
glasses	*gafas (graduadas)*
contact lenses	*lentes de contacto, lentillas*

I feel sick
tengo ganas de vomitar

I feel dizzy
tengo mareos

where does it hurt?
¿dónde le duele?

my foot hurts
me duele el pie

my eyes are sore
me duelen los ojos

it's nothing serious
no es nada grave

I took my temperature
me tomé la temperatura

he's got a temperature of 101
está a 38 (grados) de fiebre

I have a stuffed-up o blocked/runny nose
tengo la nariz tapada (o taponada)/me moquea la nariz

I have a nosebleed
me sangra la nariz

he checked my blood pressure
me tomó la presión sanguínea

have you got anything for a dry cough?
¿tiene algo para la tos?

she had an eye operation
se ha operado de un ojo

he's in a coma
está en coma

he gave/received ø first aid
le practicó/recibió los primeros auxilios

Nota:

★ Los nombres de algunas enfermedades acaban en lo que podría parecer la -s de plural, pero son nombres incontables: **measles, mumps, rabies, rickets, shingles**, etc.:

mumps is not a life-threatening disease
las paperas no son una enfermedad incurable

★ **Flu** *(gripe)* es la forma corriente de la palabra más culta **influenza**.

Véase también el capítulo:

4 **EL CUERPO HUMANO**

7 MOVEMENTS AND GESTURES
MOVIMIENTOS Y GESTOS

comings and goings idas y venidas

to go	*ir*
to appear	*aparecer*
to arrive	*llegar*
to go on	*continuar, seguir*
to run	*correr*
to pass	*pasar, cruzar*
to go/come down(stairs)	*descender, bajar (las escaleras)*
to get off	*descender, bajar de (tren, autobús, etc.)*
to disappear	*desaparecer*
to go/come in(to)	*entrar*
to rush in	*entrar precipitadamente*
to be rooted to the spot	*estar parado en un sitio*
to pace up and down	*pasearse arriba y abajo*
to go for a walk	*dar un paseo*
to belt along *(Brit.)*	*recorrer a lo largo*
to slide (along)	*desplazarse, deslizarse*
to walk	*caminar, andar*
to stride	*caminar a zancadas*
to walk back	*regresar a pie*
to walk backwards	*andar de espaldas*
to go up(stairs)	*subir (las escaleras)*
to get on	*subir a (tren, autobús, etc.)*
to go away	*salir, partir*
to rush away	*salir precipitadamente*
to go past	*pasar (por delante)*
to go through	*pasar (a través de)*
to move back	*retroceder, recular*
to go/come back down	*volver a bajar*
to go/come back up	*volver a subir*
to set off again	*volver a partir*
to go/come back (in/home)	*volver/regresar (a casa)*
to go/come back out	*volver a salir*
to stay, to remain	*permanecer, quedarse*
to return	*regresar*
to come back	*volver*

to hop	*dar saltitos, trotar*
to jump	*saltar*
to stop	*pararse, detenerse*
to go for a stroll	*dar una vuelta (pasear)*
to hide	*ocultarse, esconderse*
to go to bed	*acostarse, irse a la cama*
to lie down	*acostarse, tumbarse*
to hurry	*apresurarse*
to set off	*ponerse en ruta/marcha*
to come/go out (of)	*salir (de)*
to follow	*seguir*
to appear suddenly	*aparecer de repente, surgir*
to stagger	*tambalearse*
to dawdle	*andar muy despacio, demorarse*
to hang about	*vagabundear, deambular*
to cross	*atravesar*
to trip	*tropezar*
to come	*venir*
arrival	*llegada*
beginning	*comienzo, principio*
departure	*salida*
end	*fin*
entrance	*entrada*
exit, way out	*salida*
return	*regreso*
crossing	*travesía, cruce, paso para peatones*
rest	*pausa, descanso*
step	*paso*
stroll	*vuelta (paseo)*
walk	*paseo*
walking	*marcha*
jump	*salto*
start	*salida, sobresalto*
stealthily	*con sigilo, a hurtadillas*
at a trot/run	*al trote*

actions las acciones

to catch	*atrapar*
to close	*cerrar*
to drag	*tirar (de), arrastrar*
to drop	*dejar caer*

to fetch	*traer, ir a buscar*
to finish	*acabar*
to get up	*levantarse (de la cama)*
to give a start	*dar un sobresalto*
to hang on to	*agarrarse a/en*
to hide	*esconder, ocultar*
to hit	*golpear*
to hold	*tener, mantener*
to hold tight	*aguantar, resistir*
to kneel down	*arrodillarse*
to knock	*golpear, llamar a la puerta*
to lean	*inclinar*
to lean (against/on)	*apoyarse (contra/en)*
to lean one's elbows on	*apoyar los codos*
to lean over	*inclinarse sobre*
to lie down	*tumbarse*
to lift	*levantar, elevar*
to lower	*bajar, descender*
to move	*mover, cambiar de sitio, trasladar*
to open	*abrir*
to place	*poner, colocar, situar*
to pull	*tirar*
to push	*empujar*
to put	*poner*
to put down	*dejar, soltar, colgar (el teléfono)*
to raise	*levantar, elevar*
to remove	*quitar*
to (have a) rest	*reposar, descansar*
to sit down	*sentarse*
to squat down	*ponerse en cuclillas*
to squeeze	*apretar, estrechar, abrazar*
to stand up	*levantarse*
to start	*comenzar*
to start again	*comenzar otra vez*
to stoop	*bajarse*
to stretch out	*extender, tender*
to take	*tomar*
to throw	*lanzar*
to throw away	*tirar, lanzar*
to touch	*tocar*
to turn round	*volverse, regresar*

postures las posturas

sitting	*sentado*
seated	*sentado*

standing	*de pie*
leaning	*inclinado*
leaning (on/against)	*apoyado (sobre/contra/en)*
leaning on one's elbows	*acodado, apoyado en los codos*
hanging	*suspendido, colgado*
squatting	*acuclillado, agachado en cuclillas*
kneeling	*arrodillado*
on one's knees	*de rodillas*
lying down	*estirado, extendido*
lying face down	*tendido boca abajo*
lying on one's back	*tendido de espaldas*
lying stretched out	*tendido*
on all fours	*a cuatro patas, a gatas*

gestures **los gestos**

to blink	*guiñar/parpadear*
to frown	*fruncir el ceño*
to giggle	*reírse tontamente*
to (cast a) glance at	*echar un vistazo a*
to kick	*patear, dar patadas*
to laugh	*reír*
to look down	*mirar hacia abajo*
to look up	*mirar hacia arriba, levantar los ojos*
to lower one's eyes	*bajar los ojos/la mirada*
to make a face	*hacer una mueca*
to make a sign	*hacer una seña*
to nod (one's head)	*asentir con la cabeza*
to point at	*señalar con el dedo*
to punch	*dar un puñetazo*
to raise one's eyes	*levantar los ojos/la mirada*
to shake one's head	*mover/agitar la cabeza (negativamente)*
to shrug (one's shoulders)	*encogerse de hombros*
to slap	*dar una bofetada*
to smile	*sonreír*
to wink	*guiñar*
to yawn	*bostezar*
giggle	*risita*
glance	*vistazo, ojeada, mirada*
grimace	*mueca*
kick	*patada*
laugh	*risa*
movement	*movimiento*
nod	*inclinación de cabeza (afirmativa)*
punch	*puñetazo*

shrug	*encogimiento de hombros*
sign	*signo, seña*
signal	*señal*
slap	*bofetada*
smile	*sonrisa*
wink	*guiño*
yawn	*bostezo*

throw the ball	throw it away
lanza la pelota	*tírala/lánzala*
he went for a walk	I walk to school
ha ido a dar un paseo	*voy a la escuela a pie*
he ran downstairs	she ran across the street
bajó corriendo las escaleras	*atravesó la calle corriendo*
he rushed in	he staggered in
entró precipitadamente	*entró tambaleándose*

Nota:

★ Los verbos ingleses preposicionales («phrasal verbs») no describen la acción de la misma manera que los verbos en español, ya que expresan la acción con el verbo y la dirección con la preposición, mientras que, en español, el verbo ya expresa la dirección:

I ran out
salí corriendo

★ La expresión **to give a start** puede utilizarse de forma intransitiva:

he gave a start
se sobresaltó

o de forma transitiva (con un complemento indirecto):

he gave me a start
me sobresaltó, me dio miedo

8 IDENTITY LA IDENTIDAD

name el nombre

to name	*nombrar*
to christen	*bautizar*
to baptize	*bautizar*
to call	*llamar*
to be called	*llamarse, nombrarse*
to nickname	*apodar*
to sign	*firmar*
to spell	*deletrear*
identity	*identidad*
signature	*firma*
name	*nombre*
surname	*apellido*
last name	*apellido*
first name	*nombre de pila*
middle name	*segundo nombre*
maiden name	*apellido de soltera*
nickname	*apodo*
pet name	*nombre de pila en diminutivo*
initials	*iniciales*
Mr Martin	*señor (Sr.) Martin*
Mrs Martin	*señora (Sra.) Martin*
Miss Martin	*señorita (Srta.) Martin*
Ms Martin	*señora Martin (mujer casada o no)*
gentlemen	*señores, caballeros*
ladies	*damas (señoras y señoritas)*

sex el sexo

woman	*mujer*
lady	*dama (señora o señorita)*
girl	*chica*
man	*hombre*
gentleman	*señor, caballero*
boy	*chico*
masculine	*masculino*

feminine	*femenino*
male	*hombre*
female	*mujer*

marital status el estado civil

to marry	*casarse*
to get married (to)	*casarse (con)*
to get engaged	*prometerse en matrimonio*
to get divorced o a divorce	*divorciarse*
to break off one's engagement	*romper el compromiso (matrimonial)*

single	*soltero, célibe*
unmarried	*soltero*
married	*casado*
engaged	*novio, prometido*
divorced	*divorciado*
separated	*separado*
widowed	*viudo*

husband	*esposo, marido*
wife	*esposa, mujer*
ex-husband	*ex marido*
ex-wife	*ex mujer*
fiancé	*novio, prometido*
fiancée	*novia, prometida*
partner	*pareja, compañero*
bridegroom	*novio*
bride	*novia*
newly-weds	*recién casados*
widower	*viudo*
widow	*viuda*
orphan	*huérfano*

ceremony	*ceremonia*
birth	*nacimiento*
christening	*bautismo*
baptism	*bautismo*
death	*muerte*
funeral	*entierro, funeral*
wedding	*boda*
engagement	*esponsales, noviazgo, compromiso*
divorce	*divorcio*

| to be born | *nacer* |
| to die | *morir* |

address la dirección

to live	*vivir, habitar*
to rent	*alquilar (propietario e inquilino)*
to let *(Brit.)*	*alquilar (propietario)*
to share	*compartir (vivienda)*
to cohabit	*convivir (maritalmente)*
address	*dirección*
home address	*domicilio*
floor	*piso, planta*
storey, *(U.S.)* story	*planta*
postcode *(Brit.)*	*código postal*
zip code *(U.S.)*	*código postal*
number	*número*
(tele)phone number	*número de teléfono*
telephone directory	*guía telefónica*
owner	*propietario*
landlord	*propietario, dueño, casero*
landlady	*propietaria, dueña, casera*
tenant	*inquilino*
flatmate *(Brit.)*	*compañero de piso*
roommate *(U.S.)*	*compañero de piso*
neighbour, *(U.S.)* neighbor	*vecino*
in/to town	*en la ciudad*
in the suburbs	*en las afueras*
in the country	*en el campo*

religion la religión

Catholic	*católico*
Protestant	*protestante*
Anglican	*anglicano*
Muslim	*musulmán*
Jewish	*judío*
atheist	*ateo*

what is your name?	my name is Richard Johnson
¿cómo te llamas?	*me llamo Richard Johnson*
what is your first name?	her name is Mary
¿cuál es tu nombre de pila?	*se llama Mary*

how do you spell that?
¿cómo se escribe?

where do you live?
¿dónde vives?

I live in Durham/in England
vivo en Durham/en Inglaterra

I'm living at Gerry's
vivo en casa de Gerry

it's on the third floor
está en el tercer piso

I live in Broughton Street/at 27, Lothian Road
vivo en la calle Broughton/el 27 de la calle Lothian

the landlord rents it out to me for £150
el dueño me la alquila por 150 libras

we rented the flat from a student who was going abroad for a year
alquilamos el piso a un estudiante que estuvo fuera durante un año

Nota:

★ El uso del genitivo sajón (**-'s**) sin un nombre se traduce como «en casa de»:

I'm living at Gerry's (se sobreentiende at Gerry's place/flat/house, etc.)

★ Al contrario que en español, donde el presente va seguido de la preposición «desde» cuando la acción todavía transcurre, en inglés se utiliza el «present perfect» (equivalente al «pretérito perfecto»: **to have** + participio) o el «present perfect progressive» (pretérito perfecto continuo: **to have been** + verbo acabado en **-ing**):

I've lived o I've been living here for two years/since 2006
vivo aquí desde hace dos años/el año 2006

«Desde» se traduce por **for** delante de un nombre y por **since** cuando se hace referencia a un momento preciso en el tiempo.

Véase también el capítulo:

9 AGE La edad

young	*joven*
old	*viejo*
elderly	*mayor (de edad)*
age	*edad*
birth	*nacimiento*
life	*vida*
youth	*juventud*
adolescence	*adolescencia*
old age	*vejez, tercera edad*
date of birth	*fecha de nacimiento*
birthday	*aniversario, cumpleaños*
baby	*bebé*
toddler	*niño pequeño (que da sus primeros pasos)*
child	*niño*
teenager	*adolescente*
adult	*adulto*
grown-up	*persona mayor, adulto*
young person	*joven*
young people	*jóvenes*
young woman	*(una) joven*
young man	*(un) joven*
boy	*chico, muchacho*
girl	*chica, muchacha*
old person	*anciano*
old woman	*anciana, vieja*
old man	*anciano, viejo*
old people	*ancianos, viejos*
retired person	*jubilado(a)*
pensioner *(Brit.)*	*pensionista*
senior citizen	*persona de la tercera edad*

how old are you?	I'm 20 (years old)
¿cuántos años tienes?	*tengo 20 años (de edad)*
when were you born?	on the first of March o *(U.S.)* March
¿cuándo naciste?	first 1960
	el primero de marzo de 1960
what year were you born in?	I was born in Brighton in 1968
¿en qué año naciste?	*nací en Brighton en 1968*
a middle-aged man	a woman of about thirty
un hombre de mediana edad	*una mujer de unos treinta años*

Nota :

★ En inglés, cuando un nombre forma parte de un sintagma adjetival (o complemento de otro nombre), no se le añade la -s en plural:

a girl of eight (= eight years old) → an eight-year-old girl
una niña de ocho años

a baby of twelve months (= twelve months old) → a twelve-month-old baby
un bebé de doce meses

★ Young, old y elderly son adjetivos que pueden utilizarse como nombres colectivos, pero para designar una o más personas en particular, se añade man, woman, person, etc., según los casos:

the young	the old	the elderly
los jóvenes	*los mayores*	*los ancianos*

these young men
estos jóvenes/chicos

she's an old lady
es una señora mayor

an elderly person
un anciano, una persona de la tercera edad

10 WORK AND JOBS
TRABAJO Y PROFESIONES

to work	*trabajar*
to intend to	*tener la intención de*
to become	*llegar a ser*
to be interested in	*estar interesado en*
to study	*cursar estudios*
to go on a course	*realizar/seguir una formación*
to be ambitious	*tener (la) ambición*
to have experience	*tener (la) experiencia*
to lack experience	*carecer de experiencia*
to be unemployed	*estar desempleado*
to be on the dole *(Brit., fam.)*	*estar en el paro*
to look for work	*buscar empleo*
to apply for a job	*cursar una demanda de empleo*
to reject	*rechazar*
to accept	*aceptar*
to take on	*contratar*
to find a job	*encontrar un empleo/trabajo*
to be successful	*lograr, conseguir*
to earn	*ganar*
to earn a living	*ganarse la vida*
to get	*cobrar*
to pay	*pagar*
to take a holiday *(Brit.)*	*tomar/tener las vacaciones*
to take a day off	*tomar/tener un día libre*
to lay off	*despedir (de un empleo)*
to make someone redundant *(Brit.)*	*despedir, cesar (de un empleo o cargo)*
to dismiss	*despedir (de un empleo)*
to fire *(fam.)*	*echar a la calle, despedir*
to sack *(Brit., fam.)*	*echar a la calle, despachar*
to resign	*dimitir*
to leave	*dejar, abandonar (un empleo)*
to retire	*jubilarse*
to be on strike	*estar en huelga*
to go on strike	*declararse en huelga*
to strike	*estar/declararse en huelga*
difficult	*difícil*
easy	*fácil*
interesting	*interesante*

exciting	*apasionante*
boring	*aburrido*
dangerous	*peligroso*
important	*importante*
useful	*útil*

 ## people at work las profesiones

accountant	*contable*
actor/actress	*actor/actriz*
advisor	*asesor*
air hostess	*azafata, auxiliar de vuelo*
ambulance driver	*conductor de ambulancia*
architect	*arquitecto*
army officer	*oficial (del ejército)*
artist	*artista*
astronaut	*astronauta*
astronomer	*astrónomo*
baker	*panadero*
bank clerk	*empleado de banca*
bookseller	*librero*
bricklayer	*albañil*
builder	*constructor*
bus driver	*conductor de autobús*
businessman	*hombre de negocios*
businesswoman	*mujer de negocios*
butcher	*carnicero*
careers adviser	*asesor de orientación profesional*
caretaker	*conserje, vigilante*
carpenter	*carpintero*
cartoonist	*dibujante, humorista gráfico*
chambermaid	*camarera, doncella*
chemist *(Brit.)*	*farmacéutico*
civil servant	*funcionario*
cleaner	*asistenta doméstica*
comedian	*cómico(a)*
computer programmer	*programador informático*
computer scientist	*informático*
confectioner	*pastelero, repostero*
cook	*cocinero*
counsellor, *(U.S.)* counselor	*asesor*
customs officer	*agente de aduana, aduanero*
dealer	*comerciante, tratante, distribuidor, concesionario*
decorator	*decorador*
delivery man	*repartidor*

dentist	*dentista*
director	*director*
doctor	*médico*
dressmaker	*costurero, modisto*
driver	*conductor*
dustman *(Brit.)*	*basurero*
electrician	*electricista*
employee	*empleado*
engineer	*ingeniero*
estate agent *(Brit.)*	*agente inmobiliario*
executive	*ejecutivo*
farmer	*agricultor*
fashion designer	*diseñador de moda, modisto*
firefighter	*bombero*
fireman *(Brit.)*	*bombero*
fisherman	*pescador*
fishmonger *(Brit.)*	*pescadero*
florist	*florista*
foreman	*encargado, capataz*
furniture dealer	*comerciante/vendedor de muebles*
garage mechanic	*mecánico*
garage owner	*mecánico (propietario de taller)*
garbage man *(U.S.)*	*basurero*
gardener	*jardinero*
graphic designer	*diseñador gráfico*
grocer	*tendero*
hairdresser	*peluquero*
head teacher	*director (de escuela)*
inspector	*supervisor, inspector*
instructor	*instructor, monitor*
interpreter	*intérprete*
janitor	*portero, conserje*
jeweller, *(U.S.)* jeweler	*joyero*
journalist	*periodista*
judge	*juez*
labourer, *(U.S.)* laborer	*obrero, peón*
lawyer	*abogado*
lecturer	*profesor de enseñanza superior*
lorry driver *(Brit.)*	*camionero*
maid	*criada*
mailman *(U.S.)*	*cartero*
manager	*director, gerente*
mechanic	*mecánico*
merchant	*agente comercial, vendedor*
miner	*minero*
minister	*ministro*
model	*modelo, maniquí*

monk	*monje*
nanny	*niñera*
newsagent	*vendedor de periódicos*
newsreader	*presentador de informativos*
nun	*monja*
nurse	*enfermera*
nursery teacher	*maestro de preescolar*
office worker	*oficinista*
owner	*propietario (almacén, bar, etc.)*
painter	*pintor*
painter and decorator	*pintor de brocha gorda*
pastry chef	*pastelero*
pharmacist	*farmacéutico*
photographer	*fotógrafo*
physician	*médico*
physicist	*físico*
pilot	*piloto*
plumber	*fontanero*
policeman	*policía (hombre)*
police officer	*agente de policía*
policewoman	*agente de policía (mujer)*
politician	*político*
postman *(Brit.)*	*cartero*
priest	*sacerdote, cura*
primary school teacher	*maestro de escuela primaria*
professor	*profesor*
psychiatrist	*psiquiatra*
psychologist	*psicólogo*
real estate agent *(U.S.)*	*agente inmobiliario*
realtor *(U.S.)*	*agente inmobiliario*
receptionist	*recepcionista*
removal man	*mozo de mudanzas*
reporter	*reportero*
sailor	*marino, marinero*
sales representative	*representante de comercio*
salesperson	*vendedor*
scientist	*científico*
secretary	*secretario(a)*
semi-skilled worker	*obrero especializado*
senior executive	*ejecutivo senior*
servant	*sirviente*
shepherd(ess)	*pastor*
shoe repairer	*zapatero*
shop assistant	*vendedor (de tienda)*
shopkeeper	*comerciante, tendero*
singer	*cantante*
social worker	*asistente social*

soldier	*soldado*
star	*estrella, diva*
steward	*mayordomo, administrador, camarero, auxiliar de vuelo*
student	*estudiante*
surgeon	*cirujano*
switchboard operator	*telefonista*
tailor	*sastre*
taxi driver	*taxista*
teacher	*maestro, profesor*
technician	*técnico*
tourist guide	*guía turístico*
translator	*traductor*
truck driver *(U.S.)*	*camionero*
TV announcer	*presentador, locutor de televisión*
(shorthand) typist	*taquimecanógrafo*
unskilled worker	*obrero, operario no especializado*
usherette	*acomodadora*
veterinary surgeon	*veterinario*
waiter *(m.)*	*camarero*
waitress *(f.)*	*camarera*
watchmaker	*relojero*
Web designer	*diseñador de sitios web*
writer	*escritor*

the world of work   el mundo del trabajo

worker	*trabajador*
working people	*masa laboral*
unemployed person	*desempleado*
job applicant	*demandante de empleo*
employer	*empleador*
boss	*jefe*
management	*dirección*
staff	*personal*
personnel	*personal*
apprentice	*aprendiz*
trainee	*meritorio, becario*
intern *(U.S.)*	*meritorio, becario*
striker	*huelguista*
retired person	*jubilado*
pensioner *(Brit.)*	*pensionista*
trade unionist *(Brit.)*	*sindicalista*
labor unionist *(U.S.)*	*sindicalista*
temp	*trabajador eventual*

employment	*empleo*
sector	*sector*
research	*investigación*
computer science	*informática*
business	*negocio(s)*
industry	*industria, sector*
civil service	*función pública*
company	*empresa, sociedad, compañía*
firm	*firma, sociedad*
agency	*agencia*
start-up (an enterprise, etc.)	*fundar, crear (una empresa, etc.)*
office	*oficina*
factory	*fábrica, factoría*
workshop	*taller*
shop	*tienda*
laboratory	*laboratorio*
lay-off	*despido*
redundancy *(Brit.)*	*despido*
dismissal	*despido, cese*

 looking for a job buscando un empleo

the future	*el futuro*
career	*carrera*
profession	*profesión liberal*
occupation	*profesión, oficio, ocupación*
trade	*comercio, negocios*
job	*empleo, trabajo, puesto de trabajo*
job with good prospects	*empleo con buenas perspectivas*
temporary job	*empleo temporal*
part-time job	*empleo a tiempo parcial*
full-time job	*empleo a tiempo completo*
openings	*puesto de trabajo vacante*
situation	*situación*
post	*puesto*
position	*puesto, cargo*
training course	*curso de formación/capacitación*
apprenticeship	*aprendizaje*
placement *(Brit.)*	*puesto, empleo, colocación*
internship *(U.S.)*	*prácticas*
training	*formación, capacitación*
continuing education	*formación permanente*
sandwich course *(Brit.)*	*prácticas de formación y estudios combinados*

qualifications	*títulos, requisitos*
certificate	*certificado, título*
diploma	*diploma*
degree	*licenciatura*
(employment) contract	*contrato (de trabajo)*
job application	*demanda de empleo*
ad(vertisement)	*anuncio*
jobs advertised	*ofertas de empleo*
situations vacant *(Brit.)*	*ofertas de empleo*
application form	*formulario de solicitud*
unsolicited application	*solicitud de trabajo (por iniciativa propia)*
curriculum vitae, CV *(Brit.)*	*currículum vitae, currículo*
résumé *(U.S.)*	*currículum vitae, currículo*
covering letter *(Brit.)*	*carta de presentación*
cover letter *(U.S.)*	*carta de presentación*
skills	*aptitudes, habilidades*
candidate	*candidato*
interview	*entrevista*
interviewee	*entrevistado*
interviewer	*entrevistador*

 ## pay and benefits salario y subsidios

pay	*sueldo, salario, remuneración*
salary	*salario (mensual, anual)*
wage(s)	*salario (semanal, diario)*
income	*ingresos*
taxes	*impuestos*
flexitime *(Brit.)*	*horario flexible*
forty-hour week	*semana laboral de 40 horas*
pay rise *(Brit.)*	*aumento de sueldo*
raise *(U.S.)*	*aumento*
reward	*prima, plus*
incentive	*incentivo, prima variable*
incentive *(Brit.)* scheme o *(U.S.)* plan	*sistema de incentivos*
employee profit-sharing scheme	*sistema de participación en los beneficios*
fringe benefits	*suplementos*
perks	*beneficio adicional (aparte del sueldo)*
luncheon vouchers *(Brit.)*	*vale de comida/dietas*
meal tickets *(U.S.)*	*vale de comida*
company car	*automóvil de la empresa*
business trip	*viajes de negocios*

travel allowance	*prima de viajes*
relocation allowance	*prima de traslado*
redundancy o *(U.S.)* lay-off pay	*indemnización por despido*
unemployment benefit *(Brit.)*	*subsidio de desempleo*
pension	*pensión*
pension scheme	*plan de pensiones*
holidays *(Brit.)*	*vacaciones, días festivos*
vacation *(U.S.)*	*vacaciones*
leave	*(día/s de) permiso, baja*
maternity leave	*permiso/baja por maternidad*
sick leave	*permiso/baja por enfermedad*
paid *(Brit.)* leave o *(U.S.)* vacation	*baja/vacaciones pagadas*
trade union *(Brit.)*	*sindicato*
labor union *(U.S.)*	*sindicato*
strike	*huelga*

what does he do (for a living)?
¿cómo se gana la vida?

he's earning a o his living by writing/as a musician
se gana la vida escribiendo/como músico

what would you like to do o to be when you grow up?
¿qué te gustaría hacer o ser cuando seas mayor?

what are your plans for the future?
¿cuáles son tus planes para el futuro?

I'm planning to study ø medicine
tengo la intención de estudiar medicina

what I'm most interested in is biochemistry
lo que más me interesa es la bioquímica

he had no qualifications and no work experience so he went on
  a training course
*no tenía título ni experiencia, de modo que hizo un curso
  de capacitación*

I wish I could take a holiday and go to Spain
desearía poder tomar unas vacaciones e ir a España

she's (away) on maternity leave/sick leave/a business trip
está de baja por maternidad/enfermedad/un viaje de negocios

she does ø scientific research for the private sector o a private company
trabaja en investigación científica para el sector privado o una empresa privada

Nota:

★ Al contrario que en español, los nombres de las profesiones en inglés siempre van seguidos del artículo indefinido:

he's a doctor
es médico

she's an architect
es arquitecta

★ Según lo que designe, el sustantivo **business** puede ser contable o incontable. Cuando se refiere a un negocio, una empresa, es contable (1), pero cuando se habla de negocios en general, **business** es incontable (2), es decir, aparece siempre en singular:

(1) the number of small businesses has increased
el número de pequeñas empresas ha aumentado

there is a business for sale
hay un negocio en venta

(2) she went to London on business
fue a Londres en viaje de negocios

business is bad
el negocio va mal

★ **Staff** y **management** son nombres colectivos y pueden ir seguidos del singular, cuando designan a la totalidad del grupo (1), o del plural, si se quieren resaltar los miembros del grupo (2):

(1) the staff of that school has a good record
el personal de esa escuela obtiene buenos resultados

(2) the staff don't always behave themselves
el personal no siempre sabe comportarse

11 CHARACTER AND BEHAVIOUR
CARÁCTER Y COMPORTAMIENTO

to behave (oneself)	*comportarse, portarse bien*
to control oneself	*controlarse, dominarse*
to allow	*permitir*
to obey	*obedecer*
to disobey	*desobedecer*
to prevent (from)	*impedir*
to forbid	*prohibir*
to disapprove of	*desaprobar, reprobar*
to scold	*reñir, regañar*
to get told off	*ser recriminado/regañado*
to get angry	*enfadarse*
to apologize	*disculparse, excusarse*
to forgive	*perdonar*
to punish	*castigar*
to reward	*recompensar*
to dare	*atreverse, osar*
anger	*ira, cólera*
apology, apologies	*disculpa, excusas*
arrogance	*arrogancia*
behaviour, *(U.S.)* behavior	*comportamiento, conducta*
boastfulness	*jactancia, vanagloria*
caution	*prudencia*
character	*carácter, personalidad*
charm	*encanto, atractivo*
cheerfulness	*alegría, buen humor, júbilo*
clumsiness	*torpeza, falta de tacto*
coarseness	*grosería*
craftiness	*astucia, ardid*
cruelty	*crueldad*
delight	*alegría, regocijo*
disobedience	*desobediencia*
embarrassment	*desconcierto, apuro*
envy	*envidia, celos*
excuse	*disculpa, excusa*

folly	*locura*
good behaviour	*buen comportamiento*
happiness	*felicidad*
honesty	*honradez, sinceridad*
humanity	*humanidad*
humour, *(U.S.)* humor	*humor, sentido del humor*
impatience	*impaciencia*
insolence	*insolencia*
instinct	*instinto*
intelligence	*inteligencia*
intolerance	*intolerancia*
jealousy	*celos*
joy	*alegría*
kindness	*amabilidad, gentileza*
laziness	*pereza*
madness	*locura*
mischief	*malicia, picardía*
mood	*humor, talante, disposición (de ánimo)*
nastiness	*maldad, malicia*
naughtiness	*travesura, mala conducta*
obedience	*obediencia*
patience	*paciencia*
politeness	*cortesía, buena educación*
pride	*orgullo, dignidad*
punishment	*castigo*
reward	*recompensa, premio*
rudeness	*mala educación, descortesía*
sadness	*tristeza*
shyness	*timidez*
skilfulness, *(U.S.)* skillfulness	*habilidad, destreza*
stubbornness	*terquedad, tozudez, obstinación*
telling-off	*regañina, reprimenda*
timidity	*timidez*
tolerance	*tolerancia*
spite	*rencor, ojeriza*
unhappiness	*infelicidad, pena*
vanity	*vanidad*
wit	*ingenio, agudeza, inteligencia*
absent-minded	*distraído, descuidado*
amusing	*divertido, distraído*
angry	*enfadado*
arrogant	*arrogante*
astute	*astuto*
bad	*malvado*
boastful	*engreído, jactancioso*
boring	*molesto, pesado, aburrido*

brave	*audaz, valiente*
calm	*tranquilo, calmo*
careful	*cuidadoso, meticuloso*
cautious	*prudente*
charming	*encantador*
cheeky	*descarado, resuelto*
cheerful	*alegre, risueño*
clumsy	*torpe, desmañado*
coarse	*grosero*
cruel	*cruel*
curious	*curioso*
decent	*decente, respetable, buena persona*
discreet	*discreto*
disobedient	*desobediente*
embarrassed	*avergonzado, incómodo*
envious	*envidioso*
friendly	*amigable, amistoso*
funny	*divertido, animado*
good	*bueno*
gullible	*crédulo, simplón*
happy	*feliz*
hard-working	*trabajador*
honest	*honesto, sincero*
impatient	*impaciente*
impulsive	*impulsivo*
indifferent	*indiferente*
insolent	*insolente*
instinctive	*instintivo*
intelligent	*inteligente*
intolerant	*intolerante*
jealous	*celoso*
joyful	*alegre, regocijado*
kind	*amable, gentil*
lazy	*perezoso*
mad	*loco*
mischievous	*travieso*
modest	*modesto*
nasty	*desagradable, repugnante, antipático*
natural	*sencillo, que se comporta con naturalidad*
naughty	*malo, travieso*
naive	*ingenuo*
nice	*agradable, simpático, gentil*
obedient	*obediente*
optimistic	*optimista*
patient	*paciente*
pessimistic	*pesimista*

pleasant	*agradable, simpático*
polite	*educado*
poor	*pobre*
proud	*orgulloso*
quiet	*tranquilo*
reasonable	*razonable*
respectable	*respetable*
respectful	*respetuoso*
rude	*grosero, maleducado*
sad	*triste*
scatterbrained	*despistado, alocado*
sensible	*sensato, prudente, razonable*
sensitive	*sensible*
serious	*serio*
shrewd	*sagaz, listo, astuto*
shy	*tímido*
silly	*tonto*
skilful, *(U.S.)* skillful	*hábil, habilidoso*
sorry	*desolado, pesaroso*
strange	*extraño, raro*
stubborn	*testarudo, obstinado*
stupid	*tonto, idiota, bobo*
surprising	*sorprendente*
talkative	*locuaz, hablador*
terrific	*formidable, sensacional*
timid	*tímido*
tolerant	*tolerante*
unhappy	*infeliz*
untidy	*desordenado, descuidado*
vain	*vanidoso*
wily	*astuto*
witty	*ingenioso, ocurrente*

I think she's very nice
la encuentro muy simpática

he's in a (very) good/bad mood
está de (muy) buen/mal humor

he is good-/ill-natured
tiene buen/mal carácter

she was kind enough to lend me her car
fue lo bastante amable como para prestarme su automóvil

I'm sorry to disturb you
perdone que le moleste

I'm very sorry to hear that
lamento oír eso/lamento enterarme de eso

I do apologize
le presento todas mis excusas

he apologized to the teacher for being cheeky
se disculpó ante el profesor por su insolencia

he did it out of love/out of envy
lo hizo guiado por el amor/la envidia

Nota:

★ Falso amigo: en inglés, **sensible** no significa sensible, sino razonable, sensato. «Sensible» se traduce por **sensitive**:

be sensible!   she's very sensitive
sé razonable/sensato   *es muy sensible*

12 EMOTIONS
LAS EMOCIONES

anger ira

to become angry with	*enfadarse con*
to lose one's temper with	*encolerizarse con*
to be angry	*estar enfadado*
to be fuming *(fam.)*	*estar loco de rabia, estar echando humo*
to become indignant at	*indignarse*
to get excited	*irritarse*
to get worked up *(fam.)*	*ponerse nervioso*
to shout	*gritar*
to hit	*golpear*
to slap (on the face)	*abofetear*
anger	*ira, cólera*
indignation	*indignación*
tension	*tensión*
stress	*estrés*
cry	*grito*
shout	*grito*
blow	*golpe*
slap (on the face)	*bofetada*
annoyed	*molesto, enfadado*
angry	*enfadado, enojado*
furious	*furioso, colérico*
sulky	*malhumorado, huraño*
annoying	*irritante, molesto*

sadness tristeza

to weep	*llorar*
to cry	*llorar*
to burst into tears	*deshacerse en lágrimas*
to sob	*sollozar*
to sigh	*suspirar*
to distress	*angustiar, afligir*
to shatter *(fam.)*	*destrozar, romper en pedazos, hacer añicos*

to shock	*conmocionar*
to dismay	*consternar*
to disappoint	*decepcionar, defraudar*
to disconcert	*desconcertar*
to depress	*deprimir*
to move	*emocionar*
to affect	*afectar*
to touch	*afectar, emocionar, conmover*
to trouble	*perturbar, trastornar*
to take pity on	*apiadarse de*
to comfort	*reconfortar*
to console	*consolar*

grief	*pena, dolor*
sorrow	*pena*
sadness	*tristeza*
disappointment	*decepción*
depression	*depresión*
homesickness	*nostalgia, morriña*
melancholy	*melancolía*
nostalgia	*nostalgia*
suffering	*sufrimiento*

tear	*lágrima*
sob	*sollozo*
sigh	*suspiro*

failure	*fracaso, derrota*
bad luck	*mala suerte, infortunio*
misfortune	*infortunio*

sad	*triste*
shattered *(fam.)*	*destrozado*
disappointed	*decepcionado, defraudado*
depressed	*deprimido*
distressed	*desolado*
moved	*emocionado*
gloomy	*melancólico*
heartbroken	*desconsolado, acongojado, con el corazón roto*

fear and worries miedo y preocupaciones

to be afraid (of)	*lamentar, temer*
to be frightened (of)	*estar asustado, tener miedo*
to fear	*temer*

to frighten	*asustar, tener miedo*
to worry (about)	*preocuparse (por)*
to tremble	*temblar*
to dread	*tener terror/pavor*
terror	*terror*
dread	*terror, pavor*
fright	*susto*
shiver	*escalofrío*
shock	*conmoción*
trouble	*problema, dificultad*
anxieties	*inquietudes*
problem	*problema*
worry	*preocupación*
fearful	*temeroso, miedoso*
afraid	*temeroso, pesaroso*
frightening	*espantoso, que da miedo*
petrified	*muerto de miedo, petrificado*
worried	*preocupado, inquieto*
nervous	*nervioso*
anxious	*ansioso, angustiado*
lucky	*afortunado*

happiness felicidad

to enjoy oneself	*divertirse*
to be delighted (about)	*estar encantando (de)*
to laugh (at)	*reírse (de)*
to burst out laughing	*reír(se) a carcajadas*
to have the giggles	*tener la risa floja/tonta*
to smile	*sonreír*
happiness	*felicidad*
contentment	*satisfacción*
joy	*alegría*
satisfaction	*satisfacción*
laugh	*reír*
burst of laughter	*carcajada*
laughter	*risa*
smile	*sonrisa*
love	*amor*
love at first sight	*amor a primera vista*

luck	*suerte*
success	*éxito, logro*
surprise	*sorpresa*
pleased	*contento, satisfecho*
content	*contento, satisfecho*
happy	*feliz*
in love	*enamorado*

---

he frightened them o he gave them a fright
los asustó o les dio un susto

he's frightened o afraid of dogs
le tiene miedo a los perros

he became angry with me
se enfadó conmigo

I'm homesick
tengo nostalgia

she is lucky
es afortunada

his success made him very happy
su éxito lo hizo muy feliz

he's in love with Susan
está enamorado de Susan

he shouted at me
me gritó/gritaba

Nota:

★ Las palabras **laughter** y **trouble** son incontables:

there was much laughter over the misunderstanding
el malentendido provocó carcajadas

he got his friends into ø trouble
ha causado problemas a sus amigos

Véase también el capítulo:

11 CARÁCTER Y COMPORTAMIENTO

13 THE SENSES
LOS SENTIDOS

sight la vista

to see	*ver*
to look at	*mirar*
to watch	*mirar, observar*
to observe	*observar*
to examine	*examinar*
to study closely	*examinar detalladamente*
to catch a glimpse of	*echar un vistazo, vislumbrar*
to squint	*echar una mirada (vagamente)*
to glance at	*echar un vistazo, mirar de soslayo*
to stare at	*mirar fijamente*
to peek at	*mirar de soslayo/furtivamente*
to dazzle	*deslumbrar*
to blind	*cegar*
to light up	*iluminar, alumbrar*
to appear	*aparecer*
to disappear	*desaparecer*
to reappear	*reaparecer*
to watch TV	*ver la televisión*
sight	*vista (sentido)*
vision	*visión, vista*
view	*vista (paisaje)*
colour, *(U.S.)* color	*color*
light	*luz*
brightness	*claridad, luminosidad*
darkness	*oscuridad*
eye	*ojo*
glasses	*gafas*
sunglasses	*gafas de sol*
contact lenses, contacts	*lentes de contacto, lentillas*
magnifying glass	*lupa*
binoculars	*binoculares, prismáticos*
microscope	*microscopio*
telescope	*telescopio*

blind person	*invidente, ciego*
guide dog	*perro guía/lazarillo*
Braille	*braille*
bright	*brillante*
light	*claro*
dazzling	*deslumbrante*
dark	*oscuro*

 **hearing** el oído

to hear	*oír*
to listen to	*escuchar*
to whisper	*susurrar*
to sing	*cantar*
to hum	*tararear*
to whistle	*silbar*
to snore	*roncar*
to buzz	*zumbar, (U.S.) llamar por teléfono*
to rustle	*hacer susurrar, hacer crujir*
to creak	*rechinar, crujir, chirriar*
to ring	*sonar, tocar (timbre, campana)*
to thunder	*tronar, retumbar*
to deafen	*ensordecer*
to be silent o quiet	*callarse*
to prick up one's ears	*poner la oreja, aguzar el oído (prestar atención)*
to slam the door	*dar un portazo*
hearing	*oído (sentido)*
noise	*ruido*
sound	*sonido*
voice	*voz*
racket (fam.)	*jaleo, ruido*
din (fam.)	*estruendo, estrépito*
echo	*eco*
whisper	*susurro, rumor*
song	*canción*
buzzing	*zumbido*
crackling	*crepitación, chisporroteo*
explosion	*explosión*
creaking	*chirrido, crujido*
ringing	*timbre*
thunder	*trueno*
sound barrier	*barrera del sonido*

ear	*oreja*
loudspeaker	*altavoz*
PA system, public address system	*megafonía*
intercom	*interfono*
earphones	*auriculares, cascos*
headphones	*cascos, auriculares*
headset	*cascos, auriculares*
personal stereo	*Walkman®*
CD player	*lector de CD*
radio	*radio*
Morse code	*código Morse*
earplugs	*tapones para los oídos*
hearing aid	*audífono*
noisy	*ruidoso*
silent	*silencioso*
loud	*fuerte, alto (sonido)*
low	*bajo, débil (sonido)*
faint	*leve, ligero*
deafening	*ensordecedor*
deaf	*sordo*
hearing-impaired	*discapacitado auditivo*
hard of hearing	*duro de oído*

 touch el tacto

to touch	*tocar*
to stroke	*acariciar*
to tickle	*hacer cosquillas*
to rub	*frotar, restregar*
to knock	*golpear*
to hit	*golpear, pegar*
to scratch	*arañar*
touch	*tacto, toque*
stroke	*caricia*
blow	*golpe*
handshake	*apretón de manos*
fingertips	*punta de los dedos*
smooth	*liso*
rough	*rugoso*
soft	*dulce, blando*
hard	*duro*
hot	*caliente*

| warm | *cálido, templado, tibio* |
| cold | *frío* |

 **taste** el gusto (sabor)

to taste	*probar, saborear (alimentos)*
to taste of	*catar*
to drink	*beber*
to eat	*comer*

to lick	*lamer*
to sip	*sorber*
to gobble (up)	*engullir*
to savour, *(U.S.)* to savor	*saborear*
to swallow	*tragar*
to chew	*masticar*

to salt	*salar*
to sugar	*azucarar*
to sweeten	*endulzar*

taste	*gusto, sabor*
flavour, *(U.S.)* flavor	*sabor, aroma*
mouth	*boca*
tongue	*lengua*
saliva	*saliva*
taste buds	*papilas gustativas*
appetite	*apetito*

appetizing	*apetitoso*
mouthwatering	*sabroso*
delicious	*delicioso*
disgusting	*asqueroso*
horrible	*horrible*

sweet	*dulce*
salty	*salado*
savoury, *(U.S.)* savory	*sazonado, condimentado*
tart	*ácido*
sour	*agrio*
bitter	*amargo*
spicy	*especiado*
hot	*picante*
strong	*fuerte*
tasteless	*insípido*

smell el olfato

to smell	*oler*
to smell of	*oler a*
to sniff	*olisquear*
to stink	*apestar*
to be fragrant	*ser fragante/oloroso*
to perfume	*perfumar*
to smell nice/bad	*oler bien/mal*
(sense of) smell	*olfato (sentido)*
smell	*olor*
odour, *(U.S.)* odor	*olor*
scent	*fragancia*
perfume	*perfume*
aroma	*aroma*
fragrance	*fragancia, perfume*
stench	*peste, hedor*
smoke	*humo*
nose	*nariz*
nostrils	*ventanas/orificios nasales*
fragrant	*perfumado*
scented	*perfumado, aromatizado*
stinking	*fétido, apestoso*
smoky	*ahumado*
odourless, *(U.S.)* odorless	*inodoro*

---

it's dark in the cellar
está oscuro en la bodega

look at me!
¡mírame!/¡miradme!

listen to me!
¡escúchame!/¡escuchadme!

I heard the child singing
oí al niño cantar

I heard papers rustling
oí un crujido de papeles

the leaves rustled in the wind
las hojas susurraban al viento

it feels soft
es blando/suave al tacto

they shook hands
se dieron la mano

it makes my mouth water
se me hace la boca agua

it's tasteless
es insípido

this chocolate tastes funny
este chocolate sabe raro

this tea tastes of honey
este té sabe a miel

it smells good/bad
huele bien/mal

this room smells of smoke
esta habitación huele a humo

it's stuffy in here
aquí huele a cerrado

Véanse también los capítulos:

14 LIKES AND DISLIKES
GUSTOS Y PREFERENCIAS

to like	*gustar*
to love	*amar, gustar, encantar (algo)*
to adore	*adorar*
to be fond of	*tener cariño a, gustar mucho (algo)*
to be keen on	*ser aficionado a*
to appreciate	*apreciar, valorar*
to feel like	*tener ganas de, apetecer*
to fancy *(Brit., fam.)*	*apetecer, aficionarse, encapricharse*
to dislike	*desagradar, tener antipatía*
to detest	*detestar, aborrecer*
to hate	*odiar*
to despise	*despreciar*
to prefer	*preferir*
to choose	*elegir*
to compare	*comparar*
to hesitate	*vacilar, titubear*
to decide	*decidir*
to need	*necesitar*
to want	*querer*
to wish	*desear, querer*
to wish for	*desear, anhelar (algo)*
love	*amor*
taste	*gusto*
liking	*simpatía, aprecio, gusto*
loathing	*odio, repugnancia*
hate	*odio*
contempt	*desprecio, desdén*
choice	*elección*
comparison	*comparación*
preference	*preferencia*
contrary	*contrario, opuesto*
opposite	*opuesto, contrario*
contrast	*contraste*
difference	*diferencia*
similarity	*semejanza, parecido*

need	*necesidad*
wish	*deseo, anhelo*
different (from)	*diferente (de/a)*
equal (to)	*igual (que/a)*
identical (to)	*idéntico (que/a)*
the same (as)	*el/lo mismo (que)*
similar (to)	*parecido (a)*
like	*como, parecido (a)*
in comparison with	*en comparación con*
in relation to	*en relación con, con relación a*
more	*más*
less	*menos*
a lot	*mucho*
enormously	*enormemente*
a great deal	*una gran cantidad, mucho*
a lot more/less	*mucho más/menos*
quite a lot more/less	*muchísimo más/menos*

I like this book
me gusta este libro

he's fond of reading
le gusta mucho leer

I love going shopping
me encanta ir de tiendas

I hate getting up early
odio levantarme temprano

red is my favourite o *(U.S.)* favorite colour
el rojo es mi color favorito

I prefer coffee to tea
prefiero el café al té

I feel like going out tonight
tengo ganas de salir esta noche

do you fancy a pizza tonight? *(Brit.)*
¿te apetece una pizza esta noche?

I'd rather stay at home
preferiría quedarme en casa

they'd like to go to the movies o *(Brit.)* the cinema
les gustaría ir al cine

15 DAILY ROUTINE AND SLEEP LA VIDA DIARIA Y EL SUEÑO

to wake up despertarse

to get up	levantarse
to stretch	estirarse, desperezarse
to yawn	bostezar
to be half asleep	estar medio dormido
to have a lie-in	levantarse tarde, pegársele (a uno) las sábanas
to oversleep	quedarse dormido
to open the curtains	descorrer las cortinas
to open o pull up the blinds	abrir/subir las persianas
to switch the light on	encender la luz
to wash	lavarse
to have a wash	asearse, lavarse
to wash one's face	lavarse la cara
to wash one's hands	lavarse las manos
to brush o clean one's teeth	cepillarse o lavarse los dientes
to wash one's hair	lavarse el pelo
to have a shower	tomar una ducha, ducharse
to have a bath	tomar un baño, bañarse
to soap oneself down	enjabonarse
to dry oneself	secarse
to dry one's hands	secarse las manos
to shave	afeitarse
to go to the toilet	ir al baño/lavabo/aseo
to get dressed	vestirse
to do one's hair	arreglarse el pelo, peinarse
to brush/comb one's hair	cepillarse/peinarse el pelo
to put on one's make-up	maquillarse
to put in one's contact lenses	ponerse las lentes de contacto
to put in one's false teeth	ponerse la dentadura postiza
to make the bed	hacer la cama
to switch the radio/television on	encender la radio/televisión
to switch the radio/television off	apagar la radio/televisión
to have breakfast	desayunar
to feed the cat/dog	dar de comer al gato/perro

to water the plants	*regar las plantas*
to get ready	*prepararse*
to go to school	*ir a la escuela/al colegio*
to go to the office	*ir a la oficina*
to go to work	*ir a trabajar/al trabajo*
to take the bus	*coger/tomar el autobús*
to come home	*volver a casa*
to go home	*regresar a casa*
to come back from school/work	*volver de la escuela/del trabajo*
to do one's homework	*hacer los deberes (escolares)*
to have a rest	*descansar*
to have a nap	*echarse una siesta*
to have a cup of tea	*tomar té*
to watch television	*ver la televisión*
to read	*leer*
to play	*jugar*
to have dinner	*cenar, comer (almuerzo formal)*
to lock the door	*echar la llave/el cerrojo a la puerta*
to undress	*desnudarse*
to draw the curtains	*echar/correr las cortinas*
to close o pull down the blinds	*bajar las persianas*
to go to bed	*irse a la cama/acostarse*
to tuck in (bedclothes)	*remeter la ropa de la cama*
to set the alarm (clock)	*poner el despertador*
to switch the light off	*apagar la luz*
to fall asleep	*dormirse*
to sleep	*dormir*
to doze	*dormitar*
to dream	*soñar*
to sleep badly	*dormir mal*
to have insomnia	*tener insomnio*
to have a sleepless night	*pasar una noche en blanco*
usually	*normalmente, por lo general*
in the morning	*por la mañana*
in the evening	*por la tarde, por la noche*
every morning	*todas las mañanas*
then	*después, a continuación*

washing el baño

soap	*jabón*
shower gel	*gel de ducha*

towel	*toalla*
bath towel	*toalla de baño*
bathrobe	*albornoz, bata de baño*
hand towel	*toalla de manos*
flannel *(Brit.)*	*guante de baño, manopla*
washcloth *(U.S.)*, facecloth *(U.S.)*	*paño para lavarse, manopla*
sponge	*esponja*
brush	*cepillo*
comb	*peine*
toothbrush	*cepillo de dientes*
toothpaste	*dentífrico*
shampoo	*champú*
bubble bath	*baño de espuma*
bath salts	*sales de baño*
deodorant	*desodorante*
toilet paper	*papel higiénico*
hair dryer	*sacador (del pelo)*
scales	*báscula (de baño)*

bed la cama

pillow	*almohada*
sheet	*sábana*
pillowcase	*funda de almohada*
blanket	*manta, cobija*
extra blanket	*manta extra*
duvet *(Brit.)*	*funda nórdica*
quilt	*edredón, colcha*
quilt o *(Brit.)* duvet cover	*funda nórdica, edredón*
mattress	*colchón*
bedspread	*colcha, cubrecama*
electric blanket	*manta eléctrica*
hot-water bottle	*botella de agua caliente*

I set my alarm (clock) for seven
pongo el despertador a las siete

hurry up and get dressed!
¡arriba! ¡a vestirse!

I go to bed early/late
me voy a la cama temprano/tarde

I am an early riser
soy madrugador

I slept like a log
he dormido como un tronco

Nota:

★ El verbo have se utiliza a menudo en expresiones que describen una actividad:

I had time to have a shower/bath
tuve tiempo de ducharme/bañarme

I'm going to have a nap   have a rest!
voy a echarme una siesta   *¡descansa!*

he telephoned as we were having lunch
telefoneó mientras estábamos comiendo

Véanse también los capítulos:

16 SMOKING Fumar

to smoke	*fumar*
to light	*encender*
to put out	*apagar*
to stub out	*aplastar (colillas)*
cigarette	*cigarrillo*
smoke *(fam.)*	*cigarrillo, pitillo*
fag *(Brit., fam.)*	*pitillo, cigarro*
roll-up *(Brit., fam.)*	*cigarrillo de liar*
cigar	*cigarro, puro*
stub	*colilla*
cigarette end	*colilla*
pipe	*pipa*
match	*cerilla*
box of matches	*caja de cerillas*
lighter	*encendedor, mechero*
packet of cigarettes *(Brit.)*	*paquete de cigarrillos*
pack of cigarettes *(U.S.)*	*paquete de cigarrillos*
packet o pack of tobacco	*paquete de tabaco*
pipe tobacco	*tabaco de pipa*
rolling tobacco	*tabaco de liar*
cigarette papers	*papel de fumar*
ash	*ceniza*
ashtray	*cenicero*
smoke	*humo*
smoker	*fumador*
non-smoker	*no fumador*
non-smoking	*no fumadores (sala, local, etc.)*

---

he always has a cigarette after dinner
siempre se fuma un cigarrillo después de las comidas

do you have a light?   smoking or non-smoking?
¿tiene fuego?   *¿fumadores o no fumadores?*

smoking is not permitted in the restaurant
no está permitido fumar en el restaurante

this is a non-smoking area
es una zona de no fumadores

17 FOOD LA ALIMENTACIÓN

to eat	*comer*
to drink	*beber*
to taste	*degustar, saborear, probar*

meals las comidas

breakfast	*desayuno*
coffee break	*pausa para el café*
tea break *(Brit.)*	*pausa para el té*
brunch	*almuerzo (por la mañana)*
lunch	*comida, almuerzo (formal)*
dinner	*comida, cena*
supper	*cena*
picnic	*picnic, comida al aire libre*
snack	*aperitivo*

courses los diferentes platos

appetizer	*aperitivo*
starter	*entrante*
first course	*primer plato*
hors d'oeuvre	*entremeses*
soup	*sopa*
main course	*plato principal, plato fuerte*
entrée *(U.S.)*	*plato principal, plato fuerte*
dessert	*postre*
sweet *(Brit.)*	*dulces, postre*
pudding *(Brit.)*	*postre, pudin*
cheese	*queso*

drinks las bebidas

water	*agua*
mineral water	*agua mineral*
sparkling water	*agua mineral con gas*
still water	*agua sin gas*
tap water	*agua del grifo/corriente*
milk	*leche*
skimmed milk	*leche desnatada*

semi-skimmed milk	*leche semidesnatada*
tea	*té*
lemon tea	*té con limón*
tea with milk	*té con leche*
coffee	*café*
black coffee	*café (sólo)*
white coffee	*café con leche*
herbal tea	*infusión*
hot chocolate	*chocolate caliente/a la taza*
soft drink	*bebida sin alcohol, refresco*
orange/lemon squash *(Brit.)*	*naranjada/limonada*
orange juice	*zumo de naranja*
apple juice	*zumo de manzana*
Coke®	*Coca-cola®*
lemonade	*limonada*
alcoholic drink	*bebida alcohólica*
shandy *(Brit.)*	*clara (cerveza con refresco de limón)*
cider	*sidra*
hard cider *(U.S.)*	*sidra fermentada (fuerte, para cocinar)*
beer	*cerveza*
bitter *(Brit.)*	*cerveza amarga*
stout *(Brit.)*	*cerveza negra/tostada*
lager *(Brit.)*	*cerveza rubia*
whisky, *(U.S.)* whiskey	*whisky, güisqui*
wine	*vino*
sparkling wine	*vino espumoso*
rosé	*vino rosado*
bordeaux	*burdeos (vino de)*
burgundy	*borgoña (vino de)*
champagne	*champán, cava*
aperitif	*aperitivo*
liqueur	*licor*
brandy	*coñac, brandy*

seasonings and herbs — condimentos y finas hierbas

salt	*sal*
pepper	*pimienta*
allspice	*pimienta de Jamaica*
mustard	*mostaza*
vinegar	*vinagre*
oil	*aceite*
garlic	*ajo*
spices	*especias*
herbs	*finas hierbas*

parsley	*perejil*
sorrel	*acedera*
thyme	*tomillo*
rosemary	*romero*
basil	*albahaca*
tarragon	*estragón*
mint	*menta*
chives	*cebollinos*
cinnamon	*canela*
saffron	*azafrán*
bay leaf	*hoja de laurel*
nutmeg	*nuez moscada*
clove	*clavo (de olor)*
ginger	*jengibre*
coriander *(Brit.)*	*coriandro, cilantro*
cilantro *(U.S.)*	*cilantro, coriandro*
turmeric	*cúrcuma*
sauce	*salsa*
dip	*salsa (para mojar)*
mayonnaise	*mayonesa*
vinaigrette	*vinagreta*
dressing	*aliño, salsa*
French dressing	*vinagreta*

 # breakfast el desayuno

bread	*pan*
wholemeal bread *(Brit.)*	*pan integral*
wholewheat bread *(U.S.)*	*pan de semillas*
baguette	*barra/flauta de pan*
bread and butter	*pan con mantequilla*
toast	*pan tostado, tostada*
croissant	*cruasán*
muffin	*bollo, magdalena, muffin*
butter	*mantequilla*
margarine	*margarina*
jam	*mermelada, confitura*
marmalade	*mermelada de cítricos*
honey	*miel*
yoghurt	*yogur*
cornflakes	*copos de maíz tostados, cornflakes*
cereal	*cereales (para el desayuno)*
muesli *(Brit.)*	*muesli*
granola *(U.S.)*	*muesli*

fruit la fruta

piece of fruit	*(una) fruta/pieza de fruta*
apple	*manzana*
pear	*pera*
apricot	*albaricoque*
peach	*melocotón*
plum	*ciruela*
nectarine	*nectarina*
melon	*melón*
watermelon	*sandía, melón de agua*
pineapple	*piña*
banana	*plátano, banana*
orange	*naranja*
grapefruit	*pomelo*
mandarin (orange)	*mandarina*
tangerine	*mandarina, clementina*
clementine	*clementina*
lemon	*limón*
strawberry	*fresa*
raspberry	*frambuesa*
blackberry	*mora*
blueberry	*arándano*
redcurrant	*grosella roja*
blackcurrant	*grosella negra*
cherry	*cereza*
grape	*uva*
bunch of grapes	*racimo de uvas*

vegetables verduras y legumbres

vegetable	*verdura, legumbre*
peas	*guisantes*
beans	*judías, alubias*
green beans	*judías verdes*
runner beans	*judía pinta*
kidney beans	*frijoles rojos, judías*
butter beans	*judías valencianas*
broad beans	*habas*
leek	*puerro*
potato	*patata*
carrot	*zanahoria*
cabbage	*col*
cauliflower	*coliflor*
Brussels sprouts	*coles de Bruselas*
lettuce	*lechuga*

spinach	*espinacas*
mushroom	*seta, champiñón*
artichoke	*alcachofa*
asparagus	*espárrago*
green/red pepper	*pimienta verde/roja*
onion	*cebolla*
aubergine *(Brit.)*	*berenjena*
eggplant *(U.S.)*	*berenjena*
broccoli	*brécol, brócol*
courgette *(Brit.)*	*calabacín*
zucchini *(U.S.)*	*calabacín*
(sweet)corn	*maíz tierno/dulce*
radish	*rábano*
tomato	*tomate*
cucumber	*pepino*
avocado	*aguacate*
beetroot *(Brit.)*	*remolacha*
(red) beet *(U.S.)*	*remolacha*
salad	*ensalada*

meat la carne

pork	*cerdo*
veal	*ternera*
beef	*vaca, buey*
lamb	*cordero*
mutton	*cordero, carnero*
chicken	*pollo*
turkey	*pavo*
duck	*pato*
poultry	*volatería*
game	*(carne de) caza*
steak	*bistec*
steak and chips *(Brit.)*	*bistec con patatas fritas*
escalope	*escalopa*
cutlet	*chuleta*
chicken breast	*pechuga de pollo*
chicken thigh	*pata de pollo*
joint	*asado (de carne)*
roast beef	*rosbif*
roast pork/lamb	*asado de cerdo/cordero*
sirloin	*solomillo*
leg of lamb	*pierna de cordero*
stew	*estofado, guiso*
mince *(Brit.)*	*carne picada*
ground beef *(U.S.)*	*carne picada*

(ham)burger	*hamburgesa*
kidney	*riñón*
liver	*hígado*
ham	*jamón*
pâté	*paté*
black pudding *(Brit.)*	*morcilla negra*
blood pudding *(U.S.)*	*morcilla negra*
sausage	*salchicha*
garlic sausage	*salchicha de ajo*
bacon	*tocino, beicon, panceta*

fish el pescado

cod	*bacalao*
haddock	*bacalao, abadejo*
herring	*arenque*
sardine	*sardina*
sole	*lenguado*
tuna	*atún*
trout	*trucha*
(smoked) salmon	*salmón (ahumado)*
whiting	*pescadilla*
seafood	*marisco*
lobster	*langosta*
crab	*cangrejo*
oyster	*ostra*
prawn	*gamba, camarón*
prawn king	*langostino*
shrimp	*camarón*
mussel	*mejillón*
cockle	*berberecho*
clam	*almeja*

eggs huevos

egg	*huevo*
boiled egg	*huevo pasado por agua*
hard-boiled egg	*huevo duro*
fried egg	*huevo frito*
poached egg	*huevo escalfado*
bacon and eggs	*huevos con beicon*
ham and eggs	*huevos con jamón*
scrambled eggs	*huevos revueltos*
omelette, *(U.S.)* omelet	*tortilla*

potatoes patatas

mashed potatoes	*puré de patatas*
jacket o baked potatoes	*patatas asadas (con piel)*
roast/boiled potatoes	*patatas asadas/hervidas*
sweet potato	*batata, boniato*
chips *(Brit.)*	*patatas fritas*
(French) fries	*patatas fritas*
crisps *(Brit.)*	*chips, patatas fritas de bolsa*
(potato) chips *(U.S.)*	*chips, patatas fritas de bolsa*

pasta and rice pastas y arroz

noodles	*tallarines, fideos*
spaghetti	*espaguetis*
macaroni	*macarrones*
lasagne	*lasaña*
short-grain/long-grain rice	*arroz/arroz largo*
pilaff/Cantonese/Creole rice	*arroz pilaf/cantonés/criollo*

hot dishes platos cocinados

today's special, dish of the day	*plato del día*
soup	*sopa*
roast lamb with mint sauce	*cordero asado con salsa a la menta*
roast beef and Yorkshire pudding	*rosbif con pudin Yorkshire*
roast pork with apple sauce	*cerdo asado con salsa de manzana*
beef wellington	*bistec de vaca empanado*
pork pie	*pastel (pudin) de carne de cerdo*
shepherd's pie	*pastel (pudin) de carne con patatas y verduras*
meatballs	*albóndigas*
beef casserole	*guisado de carne de vaca*
cauliflower cheese	*coliflor (con queso) gratinada*
fish and chips	*pescado frito con patatas fritas*
cooked	*cocinado*
overdone	*muy hecho*
well done	*hecho, bien hecho*
medium	*al punto*
rare	*poco hecha(o)*
very rare	*muy poco hecha(o)*
breaded, in breadcrumbs	*empanado*
stuffed	*relleno*

fried	*frito*
boiled	*hervido*
grilled *(Brit.)*	*a la parrilla, a la plancha*
broiled *(U.S.)*	*a la parrilla*
roast	*asado*
sautéd	*sofrito, salteado*
stir-fried	*salteado*

 ## desserts los postres

apple *(Brit.)* tart o *(U.S.)* pie	*tarta de manzana*
whipped cream	*nata montada, chantillí*
cheesecake	*tarta de queso*
trifle *(Brit.)*	*bizcocho con nata y fruta empapado de jerez*
mince pies *(Brit.)*	*tartas de frutas picadas*
lemon meringue pie	*tarta de merengue de limón*
sticky toffee pudding	*pudin de caramelo o toffee*
strawberry shortcake	*tarta de fresas*
ice cream	*helado*
vanilla ice cream	*helado de vainilla*
yoghurt	*yogur*
chocolate mousse	*mousse de chocolate*
rice pudding	*arroz con leche*

 ## sweet things los dulces

chocolate	*chocolate*
milk chocolate	*chocolate con leche*
plain chocolate *(Brit.)*	*chocolate negro*
bittersweet chocolate *(U.S.)*	*chocolate negro amargo*
chocolate bar *(Brit.)*	*tableta de chocolate*
candy bar *(U.S.)*	*tableta (barra) de chocolate*
biscuit *(Brit.)*	*galleta*
cookie *(U.S.)*	*galleta con trocitos de chocolate*
shortbread	*galleta dulce de mantequilla*
scone	*scone, bollo*
cake	*pastel, tarta*
ice lolly *(Brit.)*	*polo*
Popsicle® *(U.S.)*	*polo*
sugar	*azúcar*
sweet *(Brit.)*	*golosina, dulce, caramelo*
candy *(U.S.)*	*caramelo, dulce, golosina*
mint	*caramelo de menta*
chewing gum	*chicle, goma de mascar*

tastes los sabores

sweet	*dulce*
salty	*salado*
savoury, *(U.S.)* savory	*sabroso, apetitoso, (U.S.) salado*
tart	*ácido*
bitter	*amargo*
sour	*agrio*
spicy	*especiado, picante*
strong	*fuerte*
hot	*picante*
tasteless	*insípido*
appetizing	*apetitoso*
mouthwatering	*muy apetitoso, que hace la boca agua*
delicious	*delicioso*
disgusting	*asqueroso*
horrible	*horrible*

I like having breakfast in bed
me gusta desayunar en la cama

what will you have?   I'll have the lamb
¿que tomará?   *tomaré cordero*

we had fish for dinner
tomamos pescado para cenar

I'm going to make myself a slice of bread and honey
voy a prepararme una rebanada de pan con miel

Nota:

★ Muchos de los nombres pertenecientes al ámbito culinario son
incontables, como es el caso, por ejemplo, de spinach o fruit. Este
último es invariable, pero a veces se le añade una -s en sentido
figurado o cuando se habla de las diferentes variedades de frutas:

eat fruit	a piece of fruit	tropical fruits
come fruta	*una fruta*	*frutas tropicales*

★ El plural de fish es fish, pero se utiliza fishes para hacer referencia a las diferentes especies de peces:

he caught three fish
pescó tres peces

cod and haddock are two different fishes that can be found in British waters
el bacalao y el merlán son dos peces que se encuentran en aguas británicas

En español, «el pescado» alude también de manera genérica a «los pescados» (un grupo genérico de ellos), como, por ejemplo en la frase fish is expensive (*el pesacdo está caro*).

★ Los nombres de la pasta (pasta, lasagne, spaghetti, macaroni, etc.) también son incontables. Para referirse sólo a un espagueti o un macarrón, hay que colocar delante un nombre contable:

a strand o piece of spaghetti   a piece of macaroni
un espagueti (un solo fideo)   *un macarrón*

★ «Cordero» es sheep (incontable) en inglés cuando se trata del animal vivo, y mutton en el ámbito culinario.

Véanse también los capítulos:

18 HOUSEWORK TAREAS DOMÉSTICAS

chores faenas domésticas

to do the housework	*llevar la casa, hacer las tareas domésticas*
to cook	*guisar, cocinar*
to prepare a meal	*preparar la comida*
to do the dishes	*fregar los platos*
to do the washing-up *(Brit.)*	*fregar los platos*
to clean	*limpiar*
to sweep	*barrer*
to dust	*quitar el polvo*
to vacuum	*pasar la aspiradora*
to wash	*lavar*
to rinse	*aclarar, enjuagar*
to dry	*secar*
to throw away/out	*tirar la basura*
to tidy (up)	*arreglar, ordenar la casa*
to tidy (up) one's room	*arreglar la habitación*
to put away one's things	*recoger las cosas*
to make one's bed	*hacerse la cama*
to prepare	*preparar*
to cut	*cortar*
to slice	*cortar en rebanadas*
to grate	*rallar*
to peel	*pelar*
to be boiling	*hervir*
to boil	*hervir*
to fry	*freír*
to roast	*asar*
to grill	*hacer a la parrilla/plancha*
to toast	*tostar*
to set the table	*poner la mesa*
to clear the table	*quitar la mesa*
to iron	*planchar*
to darn	*coser, zurcir*
to mend	*reparar, remendar*
to use	*usar, utilizar*
to look after	*cuidar, ocuparse de*
to help	*ayudar*

people who work in the house — los que trabajan en casa

housewife	*ama de casa*
cleaner	*mujer de la limpieza*
home help	*asistenta (doméstica)*
maid	*criada*
au pair	*au pair, canguro*
babysitter	*canguro*
childminder	*canguro, cuidador(a) de niños*

electrical appliances — los electrodomésticos

vacuum	*aspirador(a)*
Hoover® *(Brit.)*	*aspirador(a)*
washing machine	*lavadora*
spin-dryer	*secadora, centrifugadora*
tumble-dryer	*secadora*
washer-dryer	*lavadora-secadora*
iron	*plancha*
sewing machine	*máquina de coser*
mixer	*batidora*
blender	*licuadora*
food processor	*robot de cocina*
coffee grinder	*molinillo de café*
refrigerator	*nevera, frigorífico, refrigerador*
fridge *(Brit.)*	*frigorífico, nevera*
freezer	*congelador*
dishwasher	*lavavajillas*
stove	*cocina, hornillo, horno*
cooker *(Brit.)*	*cocina*
electric cooker	*cocina eléctrica*
gas cooker	*cocina de gas*
oven	*horno*
microwave (oven)	*(horno) microondas*
toaster	*tostadora*
electric kettle	*hervidor de agua eléctrico*
coffee-maker	*cafetera*

household items — los utensilios

ironing board	*tabla de planchar*
broom	*escoba*
dustpan and brush	*recogedor y cepillo*

brush	*cepillo*
rag	*trapo, paño*
duster	*bayeta, plumero*
floorcloth	*trapo para suelos*
cloth	*trapo*
dish towel	*paño para la vajilla*
tea towel *(Brit.)*	*paño para la vajilla*
drainer	*escurridor*
basin	*bol, tazón, cuenco*
bowl	*bol, cuenco*
tea cosy	*cubretetera*
oven glove	*guante/manopla para el horno*
clothes horse	*tendedero*
washing-up liquid	*lavavajillas (producto)*
dishwasher liquid	*lavavajillas (producto)*
washing powder	*detergente*
saucepan	*cacerola*
frying pan	*sartén*
casserole dish	*olla*
pressure cooker	*olla a presión*
deep fryer	*freidora*
rolling pin	*rodillo de repostería*
cake o baking tin *(Brit.)*	*molde de repostería*
cake o baking pan *(U.S.)*	*molde de repostería*
chopping board	*tajo, tajadera*
can opener	*abrelatas*
tin opener *(Brit.)*	*abrelatas*
bottle opener	*abrebotellas*
corkscrew	*descorchador*
whisk	*batidor*
spatula	*espátula*
fish slice	*pala para el pescado (con ranuras)*
slotted spatula *(U.S.)*	*rasera*
slotted spoon	*espumadera*

cutlery los cubiertos

silverware *(U.S.)*	*cubiertos*
spoon	*cuchara*
teaspoon	*cucharilla de café*
dessert spoon	*cucharilla de postre*
soup spoon	*cuchara sopera*
tablespoon	*cuchara para servir*
fork	*tenedor*
knife	*cuchillo*
kitchen knife	*cuchillo de cocina*

| bread knife | *cuchillo para el pan* |
| (potato o vegetable) peeler | *pelador de patatas o verduras* |

dishes la vajilla

dishes	*platos, vajilla*
place mat	*tapete individual, salvamanteles*
plate	*plato*
soup plate	*plato de sopa*
saucer	*platillo (de café)*
cup	*taza*
glass	*vaso*
wine glass	*vaso/copa de vino*
tumbler	*vaso (recto)*
dish	*plato*
butter dish	*mantequera*
soup tureen	*sopera*
bowl	*tazón, bol*
salt cellar	*salero*
pepper pot	*pimentero*
pepper grinder	*molinillo de pimienta*
sugar bowl	*azucarero*
teapot	*tetera*
coffee pot	*cafetera*
milk jug	*jarra para la leche*

could you set the table, please?
¿puedes poner la mesa?

it's your turn to clear the table
te toca a ti quitar la mesa

my father does the dishes
mi padre friega los platos

my parents share the housework
mis padres se reparten las tareas domésticas

could you give me a hand with the washing?
¿puedes ayudarme con la colada?

Véanse también los capítulos:

19 SHOPPING
IR DE COMPRAS

to buy	*comprar*
to cost	*costar*
to spend	*gastar*
to charge	*cobrar*
to exchange	*cambiar*
to pay	*pagar*
to afford	*poder pagar, poder permitirse*
to give change	*dar cambio*
to sell	*vender*
to go shopping	*ir de compras*
to do the shopping	*hacer las compras*
cheap	*barato*
expensive	*caro*
free	*gratuito, gratis*
reduced	*saldo, rebajado*
on special offer	*oferta especial, promoción*
second-hand	*de segunda mano, de ocasión*
customer	*cliente*
sales o shop assistant *(Brit.)*	*vendedor, dependiente*
(sales) clerk *(U.S.)*	*vendedor*
cashier	*cajero*

shops las tiendas

baker's	*panadería*
bakery	*panadería*
bookshop, *(U.S.)* bookstore	*librería*
butcher's	*carnicería*
cake shop, *(U.S.)* cake store	*pastelería*
candy store *(U.S.)*	*confitería, bombonería*
chemist's *(Brit.)*	*farmacia*
confectioner's	*confitería*
dairy	*mantequería, lechería*
deli(catessen)	*charcutería*
department store	*grandes almacenes, galerías comerciales*
drugstore *(U.S.)*	*farmacia*

dry cleaner's	*tintorería*
fish shop, *(U.S.)* fish store	*pescadería*
fishmonger's *(Brit.)*	*pescadería*
florist's	*floristería*
greengrocer's	*verdulería, frutería*
grocer's	*tienda de comestibles, ultramarinos*
grocery shop, *(U.S.)* grocery store	*tienda de comestibles, ultramarinos*
haberdasher's *(Brit.)*	*mercería*
hardware shop, *(U.S.)* hardware store	*ferretería*
indoor market	*mercado cubierto*
ironmonger's *(Brit.)*	*ferretería*
jeweller's, *(U.S.)* jeweler's	*joyería*
launderette *(Brit.)*	*lavandería*
laundromat *(U.S.)*	*lavandería automática (autoservicio)*
laundry	*lavandería*
leather shop, *(U.S.)* leather store	*marroquinería*
(shopping) mall	*centro comercial*
market	*mercado*
news stand	*quiosco de prensa*
notions store *(U.S.)*	*mercería*
off-licence *(Brit.)*	*bodega, tienda de vinos y licores*
pharmacy	*farmacia*
record shop, *(U.S.)* record store	*tienda de discos*
shoe repairer's	*zapatería (reparación)*
shoe shop, *(U.S.)* shoe store	*zapatería, tienda de calzado*
shop *(Brit.)*	*tienda*
shopping centre *(Brit.)*	*centro comercial*
souvenir shop, *(U.S.)* souvenir store	*tienda de recuerdos/souvenirs*
sports shop, *(U.S.)* sports store	*tienda de artículos de deporte*
stationer's	*papelería*
store *(U.S.)*	*tienda*
supermarket	*supermercado*
sweet shop *(Brit.)*	*tienda de dulces, confitería*
tobacconist and newsagent's *(Brit.)*	*estanco y quiosco de prensa*
travel agent's o agency	*agencia de viajes*
hairdresser's	*peluquería*
optician's	*óptica*
bag	*bolsa*
plastic bag	*bolsa de plástico*
shopping bag	*bolsa de la compra*
shopping basket	*cesta de la compra*
(supermarket) trolley *(Brit.)*	*carro de la compra*
(grocery) cart *(U.S.)*	*carro de la compra*

instructions for use	*modo de empleo, instrucciones*
price	*precio*
till	*caja*
check-out	*caja*
change	*cambio*
cheque, *(U.S.)* check	*cheque*
credit card	*tarjeta de crédito*
debit card	*tarjeta de débito*
receipt	*recibo, tique de caja*
sales	*ventas*
counter	*mostrador*
shelf	*estante*
department	*sección, departamento*
changing o fitting room	*probador*
escalator	*escalera mecánica*
first floor *(Brit.)*	*primera planta*
second floor *(U.S.)*	*primera planta*
lift *(Brit.)*	*ascensor*
elevator *(U.S.)*	*ascensor*
shop window, *(U.S.)* store window	*escaparate, vitrina*
size	*talla*

---

can I help you?
¿en qué puedo ayudarle?

have you got any bananas?
¿tiene plátanos?

I would like (I'd like) two pounds of apples, please
querría un kilo de manzanas, por favor

anything else?
¿algo más?

that's all, thank you
eso es todo, gracias

how much is this?
¿cuánto es?

that comes to 20 pounds
son 20 libras

have you got the exact change?
¿lo tiene usted (el dinero) justo?

can I pay by cheque o *(U.S.)* check?
¿puedo pagar con cheque?

do you take credit cards?
¿aceptan tarjetas de crédito?

where is the shoe department?
¿dónde está la sección de calzado?

do you want it gift-wrapped?
¿se lo envuelvo para regalo?

I love window-shopping
me encanta mirar escaparates

who paid for the drinks?
¿quién ha pagado las bebidas/consumiciones?

I bought her a diamond o a diamond for her
le compre un diamante

19 Shopping

Nota:

★ Para referirse a las tiendas, a menudo se utliza el genitivo sajón y se omite, normalmente, el nombre shop (o store en inglés americano) que va después de -'s:

I'm going to the grocer's (es decir, the grocer's shop)
voy a la tienda de ultramarinos/a la charcutería

you'll find some at the baker's
lo encontrarás en la panadería

Véanse también los capítulos:

20 SPORT EL DEPORTE

to train	*entrenar(se)*
to play	*jugar*
to play football/volleyball	*jugar a fútbol/voleibol*
to jump	*saltar*
to run	*correr*
to throw	*lanzar*
to serve	*servir* (tenis)
to shoot	*disparar*
to ski	*esquiar*
to skate	*patinar*
to swim	*nadar*
to dive	*bucear, practicar submarinismo*
to go horseriding	*montar a caballo, practicar la equitación*
to gallop	*galopar*
to trot	*trotar*
to go hunting	*ir de caza*
to go fishing	*ir de pesca*
to go skiing	*ir a esquiar*
to score a goal/a try	*marcar un gol/tanto*
to be in the lead	*ir en cabeza, ir primero(s)*
to win	*ganar*
to lose	*perder*
to beat	*batir*
to beat a record	*batir una marca/un récord*
to draw	*empatar*
to tie *(U.S.)*	*empatar*
to equalize	*empatar, igualar*
professional	*profesional*
amateur	*amateur*

types of sport tipos de deporte

aerobics	*aeróbic*
American football *(Brit.)*	*fútbol americano*
athletics	*atletismo*
backstroke	*espalda (estilo de natación)*
badminton	*bádminton*
basketball	*baloncesto*

boxing	*boxeo*
breaststroke	*braza (estilo de natación)*
butterfly	*mariposa (estilo de natación)*
canoeing	*piragüismo*
crawl	*crol (estilo de natación)*
cricket	*críquet*
cross-country skiing	*esquí de fondo*
cycling	*ciclismo*
diving	*buceo, submarinismo*
fencing	*esgrima*
fishing	*pesca*
football	*(Brit.) fútbol, (U.S.) fútbol americano*
gliding	*vuelo sin motor*
golf	*golf*
gymnastics	*gimnasia*
hang-gliding	*ala delta*
high jump	*salto de altura*
hill-walking *(Brit.)*	*senderismo*
hockey	*hockey*
horseriding	*equitación, hípica*
hunting	*caza*
ice hockey	*hockey sobre hielo*
jogging	*footing*
judo	*judo*
karate	*kárate*
long jump	*salto de longitud*
microlighting	*vuelo en ultraligero*
mountaineering	*alpinismo*
parachuting	*paracaidismo*
paragliding	*parapente*
physical training	*culturismo*
potholing *(Brit.)*	*espeleología*
rock climbing	*escalada*
rollerblading	*patinaje (con patines en línea)*
rowing	*remo*
rugby	*rugby*
running	*correr*
sailing	*vela*
shooting	*tiro*
skating	*patinaje*
skiing	*esquí*
soccer *(U.S.)*	*fútbol*
spelunking *(U.S.)*	*espeleología*
squash	*squash*
surfing	*surf*
swimming	*natación*
table tennis	*ping-pong, tenis de mesa*

tennis	*tenis*
volleyball	*voleibol*
walking	*marcha (atlética)*
water-skiing	*esquí náutico*
weightlifting	*halterofilia*
winter sports	*deportes de invierno*
wrestling	*lucha libre*

equipment artículos deportivos

asymmetric bars	*barras asimétricas*
ball	*balón, pelota, bola*
bat	*bate*
beam	*barra fija*
bicycle, bike	*bicicleta, bici*
bowl	*bolos, boliche*
boxing gloves	*guantes de boxeo*
canoe	*piragua, canoa*
fishing rod	*caña de pescar*
football boots	*botas de fútbol*
golf club	*club (palo de golf)*
hockey stick	*bastón de hockey*
net	*red*
parallel bars	*barras paralelas*
saddle	*silla, sillín*
sailboard	*tabla de windsurf*
sailing boat	*velero*
skis	*esquíes*
stopwatch	*cronómetro*
surfboard	*tabla de surf*
tennis racket	*raqueta de tenis*

places los lugares

changing room	*vestuario*
cycle track	*velódromo*
diving board	*trampolín*
field	*cancha, campo, terreno de juego*
golf course	*campo de golf*
ground	*campo de juego, estadio*
gym(nasium)	*gimnasio*
ice-rink	*pista de patinaje*
pitch *(Brit.)*	*cancha, terreno de juego*
showers	*duchas*
(ski) slope	*pista (esquí)*
sports centre	*centro deportivo*

stadium	*estadio*
swimming pool	*piscina*
tennis court	*pista de tenis*

 competing la competición

training	*entrenamiento*
team	*equipo*
winning/losing team	*equipo ganador/perdedor*
race	*carrera*
stage	*etapa*
scrum	*combate*
try	*ensayo (rugby)*
time-trial	*carrera contrarreloj*
sprint	*sprint*
match	*partido(a)*
game	*juego, partido*
half-time	*media parte, descanso*
goal	*gol, tanto*
score	*resultado, marcador*
draw	*empate*
extra time	*prórroga*
penalty kick	*penalti*
penalty shoot-out	*lanzamiento/tanda de penaltis*
free kick	*tiro libre*
offside	*fuera de juego*
marathon	*maratón*
half-marathon	*media maratón (20 km)*
sporting event	*acontecimiento deportivo*
championship	*campeonato*
tournament	*torneo*
rally	*rally*
event	*prueba*
heat	*prueba eliminatoria*
final	*final*
semi-final	*semifinal*
quarter-final	*cuartos de final*
record	*récord*
world record	*récord del mundo*
World Cup	*Copa del Mundo, Mundial*
Olympic Games	*Juegos Olímpicos*
Cup Final	*final de la Copa*
Six Nations Tournament	*torneo de las Seis Naciones*
medal	*medalla*
cup	*copa*

participants los participantes

a... player	un... jugador de
athlete	atleta
boxer	boxeador
centre-forward	delantero centro, punta
cyclist	ciclista
diver	buceador
footballer (Brit.)	futbolista
goalkeeper	guardameta, portero
long-distance/middle-distance runner	corredor de fondo/media distancia
mountaineer	alpinista, escalador
runner	corredor
skater	patinador
skier	esquiador
soccer player (U.S.)	futbolista
sportsman	deportista (hombre)
sportswoman	deportista (mujer)
tennis player	tenista, jugador de tenis
winger	extremo, alero
referee	árbitro (fútbol, baloncesto...)
umpire	árbitro (tenis, béisbol...)
coach	entrenador
champion	campeón
contestant	adversario, oponente, competidor
runner-up	segundo (clasificado)
ski instructor	instructor/monitor de esquí
swimming instructor	profesor/instructor de natación
supporter	hincha, aficionado
winner	ganador
loser	perdedor

---

he does a lot of sport
practica mucho deporte

she's a black belt in judo
es cinturón negro de judo

the two teams drew
los dos equipos empataron

they drew two all
empataron a dos

the two contestants drew for third prize
los dos competidores compartieron la tercera plaza ex aequo

they had to go into extra time
tuvieron que ir a la prórroga

the runner crossed the finishing line
el corredor cruzó la línea de meta

we put on a spurt
hicimos un último esfuerzo

ready, steady, go!
ia sus marcas, listos, ya!

let's go hang-gliding
vamos a hacer ala delta

Véase también el capítulo:

2   **LA ROPA Y LA MODA**

21 LEISURE AND HOBBIES Ocio

Y AFICIONES

to be interested in	*interesarse por...*
to enjoy oneself	*divertirse*
to be bored	*aburrirse*
to have the time to	*tener tiempo para/de...*
to read	*leer*
to draw	*dibujar*
to paint	*pintar*
to do DIY	*hacer bricolaje*
to build	*construir*
to take photographs	*tomar fotos*
to collect	*coleccionar*
to cook	*cocinar*
to do gardening	*ocuparse del jardín, hacer jardinería*
to sew	*coser*
to knit	*tejer, tricotar*
to dance	*bailar*
to sing	*cantar*
to play	*jugar*
to take part in	*participar en*
to win	*ganar*
to lose	*perder*
to beat	*batir, ganar a*
to cheat	*hacer trampas*
to bet	*apostar*
to stake	*apostar*
to go for walks	*pasearse*
to go for a cycle ride	*dar una vuelta en bicicleta*
to cycle	*ir/salir en bicicleta*
to go for a drive	*dar una vuelta en coche*
to go fishing	*ir a pescar*
to go to the gym	*ir al gimnasio*
to work out	*hacer ejercicio*
to go running	*ir a correr*

interesting	*interesante*
fascinating	*apasionante*
very keen on	*apasionado por*
boring	*aburrido*
hobby	*pasatiempo, afición*
pastime	*pasatiempo*
spare o leisure time	*tiempo libre, ocio*
voluntary work	*trabajo voluntario*
reading	*lectura*
book	*libro*
cartoon o comic strip	*cómic, tira cómica (en una publicación)*
comic (Brit.)	*cómic, tebeo (álbum)*
comic book (U.S.)	*cómic, historieta gráfica (álbum)*
magazine	*revista*
poetry	*poesía*
poem	*poema*
drawing	*dibujo*
painting	*pintura*
brush	*pincel*
canvas	*lienzo, tela*
sculpture	*escultura*
pottery	*alfarería, cerámica*
DIY	*bricolaje*
model-making	*modelismo*
hammer	*martillo*
screwdriver	*destornillador*
nail	*clavo*
screw	*tornillo*
drill	*taladradora*
saw	*sierra*
file	*lima*
glue	*cola, pegamento*
paint	*pintura*
photography	*fotografía*
photo(graph)	*foto(grafía)*
picture	*foto*
shot	*disparo (fotografía)*
camera	*cámara fotográfica*
digital camera	*cámara (fotográfica) digital*
camcorder	*cámara de vídeo, videocámara*
film	*película, filme*
cinema	*cine*
video	*vídeo*

computing	*informática*
computer	*ordenador*
computer game	*juego de ordenador*
games console	*consola de juegos*
Internet	*internet*
Internet surfing	*navegar por internet*
Internet surfer	*internauta*
stamp collecting	*filatelia*
stamp	*sello*
album	*álbum*
scrapbook	*álbum de recortes (p. ej., de prensa)*
collection	*colección*
cooking	*cocina*
recipe	*receta*
baking	*hornear (pan, pasteles)*
gardening	*jardinería*
watering *(Brit.)* can o *(U.S.)* pot	*regadera*
flowerpot	*tiesto, maceta*
spade	*pala*
fork	*horca*
rake	*rastrillo*
hoe	*azada*
(wheel)barrow	*carretilla*
shears	*tijeras de podar, podaderas*
hedge clipper(s)	*tijeras de podar*
lawnmower	*cortacésped*
dressmaking	*costura*
sewing machine	*máquina de coser*
needle	*aguja*
thread	*hilo*
thimble	*dedal*
pattern	*patrón, modelo*
knitting	*punto*
knitting needle	*aguja de punto*
ball of wool	*madeja de lana*
embroidery	*bordado*
tapestry	*tapicería, tapiz*
dancing	*danza*
ballet	*ballet, danza clásica*
music	*música*
singing	*canto*
song	*canción*

choir	coral, coro
piano	piano
violin	violín
cello	violonchelo
clarinet	clarinete
flute	flauta
recorder	flauta dulce
guitar	guitarra
drum	tambor, bombo
drums	batería
game	juego
toy	juguete
board game	juego de mesa
chess	ajedrez
draughts (Brit.)	damas
checkers (U.S.)	damas
jigsaw (puzzle)	rompecabezas
cards	naipes, cartas
dice	dados
bet	apuesta
walk	paseo
drive	una vuelta en automóvil
outing	excursión
cycling	ciclismo
bicycle, bike	bicicleta, bici
birdwatching	observación de aves, ornitología
fishing	pesca

she's interested in pottery
le interesa la alfarería

she likes knitting
le encanta hacer punto

Helen is very keen on the cinema
Helen es una apasionada del cine

he's a keen gardener
es un entusiasta de la jardinería

Raymond is very good with his hands
Raymond es muy mañoso

I do ø sculpture/tapestry
hago escultura/tapices

I take ballet lessons
tomo lecciones de ballet

whose turn is it?
¿a quién le toca?

it's your turn
te toca a ti

Nota:

★ Falso amigo: camera significa «cámara de vídeo» y «cámara fotográfica». De la misma manera, film no sólo se refiere a una película o filme cinematográfico, film en inglés, sino también a una película (negativo) de fotografías.

★ Los instrumentos musicales siempre van precedidos del artículo definido the tras el verbo play. Por ejemplo:

I play ø chess
juego al ajedrez

I play the piano
toco el piano

★ Dice, plural irregular de die *(dado)*, se ha convertido en el término utilizado normalmente en singular, excepto en expresiones tales como the die is cast *(la suerte está echada)* o straight as a die *(honrado a carta cabal, franco, directo)*, en que se usa la forma singular. Así, dice tiene la misma forma en singular y en plural:

he threw the dice
lanzó el dado/los dados

Véanse también los capítulos:

22 THE MEDIA Los medios de comunicación

to listen to	*escuchar*
to watch	*ver*
to read	*leer*
to switch on	*encender, conectar*
to switch off	*apagar, desconectar*
to change channels/stations	*cambiar de canal/emisora*
to channel-hop o channel-surf	*zapear*

radio la radio

radio	*radio*
walkman®	*Walkman®*
personal stereo, PA	*Walkman®*
(radio) broadcast	*emisión radiofónica*
(radio) programme o *(U.S.)* program	*programa radiofónico*
news bulletin	*boletín de noticias*
news	*informativo (programa)*
weather report	*información meteorológica*
phone-in	*emisiones con participación de oyentes por teléfono*
interview	*entrevista*
charts	*listas de éxitos*
single	*disco sencillo, single*
album	*álbum*
CD	*CD*
commercial	*spot/anuncio (publicitario)*
listener	*oyente*
disc jockey, DJ	*pinchadiscos, disc-jockey, dj*
reception	*recepción*
interference	*interferencias*
station	*emisora*
frequency	*frecuencia*

television la televisión

TV	*televisión, tele*
telly *(Brit., fam.)*	*tele*
television set	*televisor*
colour television	*televisor en color*

black-and-white television	*televisor en blanco y negro*
screen	*pantalla*
aerial *(Brit.)*	*antena*
antenna *(U.S.)*	*antena*
satellite dish	*antena parabólica*
channel	*canal, cadena*
news channel	*canal de información/noticias*
movie channel	*canal de cine*
pay-per-view	*sistema de televisión a la carta*
programme, *(U.S.)* program	*programa*
news	*noticias, informativos*
television news	*noticias televisivas, telediarios*
movie	*película, filme*
film *(Brit.)*	*película, filme*
documentary	*documental*
series	*serie (de televisión)*
soap opera	*serie, serial, radionovela, telenovela*
sitcom	*comedia de situación, sitcom*
quiz show	*programa concurso*
reality TV	*reality show*
commercial	*anuncio, spot*
ad	*anuncio, publicidad*
advert *(Brit.)*	*publicidad, anuncio*
newsreader	*presentador de informativos*
announcer	*presentador, locutor*
presenter	*presentador, locutor*
anchor *(U.S.)*	*presentador principal*
anchorman/anchorwoman *(U.S.)*	*presentadora principal*
viewer	*telespectador*
cable TV	*televisión por cable*
satellite TV	*televisión por satélite*
digital TV	*televisión digital*
video (recorder) *(Brit.)*	*aparato de vídeo (grabador), magnetoscopio*
VCR *(U.S.)*	*aparato de vídeo*
DVD (player)	*lector de DVD*

press la prensa

(news)paper	*diario, periódico*
morning/evening paper	*diario matutino/vespertino*
daily	*diario*
weekly	*semanario*
monthly	*mensual*
magazine	*revista*
gutter press	*prensa amarilla*
broadsheet *(Brit.)*	*diario de gran formato (de calidad)*

tabloid *(Brit.)*	*diario de pequeño formato*
journalist	*periodista*
reporter	*reportero*
chief editor	*redactor jefe*
(press) report	*reportaje*
article	*artículo*
headline	*titular*
(regular) column	*columna (firmada)*
sports column	*columna deportiva*
agony column	*columna de consejos sentimentales*
business column	*columna de economía/finanzas*
advertisement	*anuncio (publicitario)*
advertising	*publicidad*
classified ads	*anuncios por palabras*
small ads	*publicidad de pequeño formato*
press conference	*conferencia de prensa*
news agency	*agencia de prensa*
circulation	*tirada, circulación*

---

on short/medium/long wave
en onda corta/media/larga

on the radio/air
en el aire

what's on television tonight?   live from Wimbledon
¿qué dan esta noche en la televisión?   *en directo desde Wimbledon*

could you change ø channels, please?
¿podrías cambiar de canal?

the hijacking made the headlines
el secuestro ocupó los titulares

Nota:

★ La programación de televisión en inglés se dice TV guide; programme *(programa)* no significa emisión o programa de radio o televisión, pero sí alude a un programa musical o informático.

★ «Programa» de radio o televisión, en inglés, es broadcast.

★ News es un nombre incontable:

yesterday, the news was very depressing
ayer las noticias fueron realmente deprimentes

23 EVENINGS OUT
SALIR DE NOCHE

to go out	*salir*
to dance	*bailar*
to go dancing	*ir a bailar*
to go clubbing	*ir de bares/pubs*
to go to the casino	*ir al casino*
to invite	*invitar*
to give	*dar*
to bring	*traer*
to book	*reservar*
to applaud	*aplaudir*
to accompany	*acompañar*
to kiss	*besar*
to go/come home	*volver (a casa)*
together	*juntos*
alone	*solo*

shows los espectáculos

theatre, *(U.S.)* theater	*teatro*
play	*obra*
comedy	*comedia*
tragedy	*tragedia*
musical	*comedia musical*
opera	*ópera*
operetta	*opereta, zarzuela*
ballet	*ballet*
costume	*vestuario*
stage	*escena, escenario*
set	*decorados*
wings	*bastidores*
curtain	*telón*
cloakroom	*guardarropa*
orchestra	*orquesta (músicos)*
orchestra *(U.S.)*	*platea, patio de butacas*
stalls *(Brit.)*	*butacas*
dress circle	*platea*
box	*palco*
gods *(Brit.)*	*gallinero*
peanut gallery *(U.S.)*	*gallinero*

interval *(Brit.)*	*entreacto*
intermission	*entreacto*
programme, *(U.S.)* program	*programa (musical)*
classical music concert	*concierto de música clásica*
rock concert	*concierto de rock*
gig	*actuación, concierto*
show	*espectáculo*
festival	*festival*
circus	*circo*
fireworks	*fuegos artificiales*
audience	*espectadores*
usher/usherette	*acomodador/acomodadora*
actor/actress	*actor/actriz*
dancer	*bailarín/bailarina*
conductor	*director de orquesta*
musician	*músico*
magician	*mago*
clown	*payaso*
acrobat	*acróbata*

the cinema el cine

movie	*película, filme*
film *(Brit.)*	*película, filme*
cinema *(Brit.)*	*cine*
movie theater *(U.S.)*	*sala de cine*
ticket office	*taquilla*
showing	*sesión*
ticket	*tique, entrada*
screen	*pantalla*
projector	*proyector*
trailer	*tráiler*
film buff	*cinéfilo*
cartoon	*dibujos animados*
documentary	*documental*
historical movie o *(Brit.)* film	*película histórica*
horror movie o *(Brit.)* film	*película de miedo/terror*
science-fiction movie o *(Brit.)* film	*película de ciencia ficción*
thriller	*película de suspense, thriller*
action movie o *(Brit.)* film	*película de acción*
western	*película del oeste, western*
film with subtitles	*película en versión original subtitulada*
subtitles	*subtítulos*

dubbing	*doblaje*
black-and-white movie o *(Brit.)* film	*película en blanco y negro*
director	*director, realizador*
producer	*productor*
film maker	*cineasta, realizador, director*
actor/actress	*actor/actriz*
star	*estrella, diva*

 ## going dancing ir a bailar

dance	*baile*
disco	*discoteca*
(night)club	*club/bar nocturno*
record	*disco*
compact disc, CD	*disco compacto, CD*
dance floor	*pista de baile*
cloakroom	*guardarropa*
dance (music)	*(música) dance*
rock	*rock*
band	*grupo, banda*
pop group	*grupo pop*
folk (music)	*(música) folk*
slow dance	*baile lento*
DJ	*pinchadiscos, disc-jockey, dj*
singer	*cantante*
bouncer	*guardia de seguridad, gorila*

 ## eating out en el restaurante

restaurant	*restaurante*
Chinese/Italian/Indian restaurant	*restaurante chino/italiano/indio*
fast-food restaurant	*restaurante de comida rápida*
bar	*bar, café*
pub	*pub*
waiter	*camarero*
waitress	*camarera*
head waiter	*maître, jefe de comedor*
menu	*carta, menú*
dish of the day, special	*plato del día*
wine list	*carta de vinos*
bill *(Brit.)*	*cuenta*
check *(U.S.)*	*cuenta*
tip	*propina*

entertaining las invitaciones

guest	invitado
host	anfitrión
hostess	anfitriona
present	regalo
drink	bebida
cocktail	cóctel
crisps (Brit.)	patatas fritas (de bolsa), chips
(potato) chips (U.S.)	patatas fritas (de bolsa), chips
peanuts	cacahuetes
party	fiesta
dinner party	cena (con invitados)
celebration	celebración, fiesta
birthday	cumpleaños, aniversario
birthday cake	pastel de cumpleaños
candles	velas

I booked two tickets to go and see him in concert
he reservado dos entradas para ir a verlo en concierto

it was sold out
estaba todo agotado

encore!
¡otra, otra!

let's go and have a drink somewhere
vamos a tomar una copa a algún sitio

service included
servicio incluido

do you have anything planned for tonight?
¿tienes algún plan para esta noche?

would you like to go to (Brit.) the cinema o (U.S.) the movies?
¿te gustaría ir al cine?

Nicole Kidman is starring in the main role
Nicole Kidman es la protagonista

his film was released last month
su película se estrenó el mes pasado

I was given a flier for a new club
me dieron un flier de un club nuevo

would you like to dance with me?
¿quieres bailar conmigo?

there's a party at her place
hay una fiesta en su casa

Véase también el capítulo:

24 MY ROOM
MI HABITACIÓN

floor	*suelo*
(fitted) carpet	*moqueta, alfombra*
(wooden) floor o flooring	*parqué*
parquet floor o flooring	*parqué*
ceiling	*techo*
door	*puerta*
window	*ventana*
curtains *(Brit.)*	*cortinas*
drapes *(U.S.)*	*cortinas*
shutters	*postigos*
blinds	*persianas*
wallpaper	*papel pintado*

furniture los muebles

bed	*cama*
single bed	*cama individual*
double bed	*cama doble, de matrimonio*
twin beds	*camas gemelas*
bunk bed	*litera*
four-poster (bed)	*cama con dosel/baldaquino*
sofa bed	*sofá-cama*
bedside table	*mesilla de noche*
chest of drawers	*cómoda*
dressing table	*tocador*
wardrobe	*armario ropero*
cupboard	*armario, despensa*
desk	*escritorio*
chair	*silla*
stool	*taburete, banqueta*
armchair	*sillón*
shelves	*estanterías*
bookcase	*biblioteca*

objects los objetos

lamp	*lámpara*
bedside lamp	*lamparilla de noche*
desk lamp	*lámpara de escritorio*

lampshade	*pantalla, tulipa*
bedspread	*colcha, cubrecama*
quilt	*edredón, colcha*
duvet *(Brit.)*	*edredón nórdico*
quilt o *(Brit.)* duvet cover	*funda nórdica, edredón*
blanket	*manta*
sheet	*sábana*
pillow	*almohada*
pillowcase, pillow slip	*funda de almohada*
alarm clock	*(reloj) despertador*
radio alarm	*radiodespertador*
hi-fi	*cadena de alta fidelidad*
rug	*alfombrilla*
poster	*póster, cartel*
picture	*cuadro*
photograph	*fotografía*
mirror	*espejo*
hanger	*percha*
drawer	*cajón*
book	*libro*
magazine	*revista*
comic	*cómic*
diary	*diario (personal), agenda*
game	*juego*
toy	*juguete*
cuddly toy	*peluche*
computer	*ordenador*

---

come in!
¡entra!

it's time to get up!
¡es hora de levantarse!

come on now, it's bedtime!
¡venga, es hora de acostarse!

why are you still in ø bed?
¿por qué estás todavía en la cama?

go to ø bed, I'll come and tuck you in
ve a acostarte que iré a taparte

turn off your bedside lamp
apaga la lámpara de sobremesa

Véanse también los capítulos:

25 THE HOUSE La casa

to live	*vivir*
to move (house)	*mudarse, trasladarse (de casa)*
to move in/into	*instalarse en*
to move out/out of	*trasladarse de*
rent	*alquilar*
mortgage	*hipoteca, préstamo inmobiliario*
removal	*mudanza, traslado*
tenant	*inquilino*
owner	*propietario, dueño*
caretaker	*conserje*
removal man	*mozo de mudanzas*
house	*casa*
detached house	*casa independiente/unifamiliar*
semi-detached house	*casa pareada/adosada*
terraced houses	*casas adosadas*
housing estate *(Brit.)*	*urbanización*
flat *(Brit.)*	*piso, apartamento*
apartment *(U.S.)*	*apartamento*
council house/flat *(Brit.)*	*vivienda social (de alquiler)*
block of flats *(Brit.)*	*inmueble, edificio (de pisos)*
apartment building *(U.S.)*	*edificio de apartamentos*
studio *(Brit.)* flat o *(U.S.)* apartment	*estudio*
furnished *(Brit.)* flat o *(U.S.)* apartment	*piso/apartamento amueblado*
to let *(Brit.)*	*en alquiler*
for rent *(U.S.)*	*en alquiler*
for sale	*en venta*

parts of the house las partes de la casa

cellar	*bodega, sótano*
basement	*sótano*
ground floor *(Brit.)*	*planta baja*
first floor *(U.S.)*	*planta baja*
first floor *(Brit.)*	*primer piso*
floor	*piso, suelo*
storey, *(U.S.)* story	*planta*

attic	*desván, ático, buhardilla*
loft	*desván*
loft conversion	*apartamento abuhardillado rehabilitado*
attic room	*buhardilla*
room	*habitación*
landing	*rellano, descansillo*
stairs	*escaleras*
step	*peldaño, escalón*
banister	*barandilla, pasamanos*
lift *(Brit.)*	*ascensor*
elevator *(U.S.)*	*ascensor*
wall	*pared*
roof	*tejado, techo*
roof tile	*teja*
slate	*pizarra (teja de)*
chimney	*chimenea (conducto)*
fireplace	*chimenea (hogar)*
hearth	*hogar (de chimenea)*
door	*puerta*
front door	*puerta de entrada/principal*
window	*ventana*
bay window	*ventana saslediza, panorámica*
French window *(Brit.)*	*ventana de dos hojas*
terrace	*terraza*
balcony	*balcón*
garden	*jardín*
vegetable garden	*huerto*
patio	*patio*
courtyard	*patio ajardinado*
garage	*garaje*
upstairs	*arriba, piso de arriba*
downstairs	*abajo, piso de abajo*

the rooms las habitaciones

entrance (hall)	*entrada*
hall	*entrada, recibidor*
kitchen	*cocina*
dining room	*salón comedor*
living room	*sala de estar*
sitting room	*salón*
lounge	*salón*
playroom	*cuarto de juegos*
study	*estudio, despacho*

den *(U.S.)*	*estudio, despacho*
library	*biblioteca*
bedroom	*dormitorio*
bathroom	*cuarto de baño, aseo*
toilet *(Brit.)*	*aseo, váter*
loo *(Brit., fam.)*	*retrete, váter*
utility room	*cuarto para lavar y planchar*
storage room	*despensa*
conservatory	*invernadero*
veranda	*mirador, veranda, porche, galería*

furniture los muebles

chair	*silla*
armchair	*sillón*
rocking chair	*mecedora, balancín*
sofa	*sofá*
table	*mesa*
coffee table	*mesa de café*
cupboard	*armario empotrado, alacena*
dresser	*(Brit.) aparador, (U.S.) tocador*
bookcase	*librería*
sideboard	*aparador*
trolley	*carrito*
desk	*escritorio*
shelves	*estanterías*
bed	*cama*
wardrobe	*armario ropero*
shower	*ducha*
bath *(Brit.)*	*bañera*
bathtub *(U.S.)*	*bañera*
washbasin *(Brit.)*	*lavabo*
washbowl *(U.S.)*	*lavabo*
bidet	*bidé*
bathroom cabinet	*armario de baño*

objects and fittings objetos y utensilios

aerial *(Brit.)*	*antena*
antenna *(U.S.)*	*antena*
ashtray	*cenicero*
basin *(Brit.)*	*palangana*
bathmat	*alfombrilla de baño*
bin *(Brit.)*	*cubo de la basura, (U.S.) papelera*
boiler	*caldera*

bolt	*cerrojo, pestillo*
bowl	*barreño, tazón*
candle	*vela*
candlestick	*candelabro*
(fitted) carpet	*moqueta*
central heating	*calefacción central*
clock	*reloj*
coat rack	*perchero*
cushion	*cojín, almohadón*
doorbell	*timbre (de la puerta)*
door-handle	*asa, tirador, manija de puerta*
doorknob	*tirador, pomo, manija de puerta*
doormat	*felpudo, alfombrilla*
dustbin *(Brit.)*	*cubo de la basura*
faucet *(U.S.)*	*grifo*
frame	*marco*
garbage can *(U.S.)*	*cubo de la basura*
gutter	*canalón (del tejado)*
Hoover® *(Brit.)*	*aspirador*
key	*llave*
keyhole	*ojo de la cerradura*
ladder	*escalera*
lamp	*lámpara*
letterbox *(Brit.)*	*buzón*
lock	*cerradura*
magazine rack	*revistero*
mailbox *(U.S.)*	*buzón*
mirror	*espejo*
ornament	*adorno, objeto decorativo*
outlet *(U.S.)*	*toma de corriente*
partition	*tabique, mampara*
photograph	*fotografía*
picture	*cuadro*
poster	*póster, cartel*
radiator	*radiador*
rug	*alfombra*
(bathroom) scales o *(U.S.)* scale	*báscula*
sink	*fregadero*
socket *(Brit.)*	*enchufe*
standard lamp	*lámpara de pie*
tap *(Brit.)*	*grifo*
tile	*baldosa, azulejo, teja*
trash can *(U.S.)*	*cubo de la basura*
umbrella stand	*paragüero*
vacuum cleaner	*aspirador*
vase	*jarrón, florero*
wallpaper	*papel pintado*

wastepaper basket	*papelera*
cassette	*casete*
cassette recorder	*magnetófono de casetes, grabador de casetes*
CD player	*lector de CD*
compact disc, CD	*disco compacto, CD*
computer	*ordenador*
DVD player	*lector de DVD*
hi-fi	*cadena hi-fi/de alta fidelidad*
portable television	*televisor portátil*
radio	*radio*
radio cassette player	*radiocasete*
record	*disco*
tape recorder	*magnetófono*
VCR *(U.S.)*	*magnetoscopio, vídeo*
video	*vídeo (filme, película)*
video (recorder) *(Brit.)*	*magnetoscopio, vídeo*
video (tape)	*vídeo, vídeocasete*

the garden el jardín

lawn	*césped*
grass	*hierba*
weeds	*malas hierbas*
weedkiller	*herbicida*
flowerbed	*parterre (de flores)*
flowerpot	*maceta/tiesto de flores*
greenhouse	*invernadero*
garden furniture	*muebles de jardín*
deckchair	*tumbona*
sun (lounger)	*tumbona (de exterior)*
swing	*columpio*
(wheel)barrow	*carretilla*
spade	*pala*
fork	*horca*
rake	*rastrillo*
hoe	*azada*
(pair of) secateurs	*tijeras podaderas (para las flores)*
pruning shears	*podaderas (para los setos)*
shears	*tijeras de jardín*
lawnmower	*cortacésped*
watering *(Brit.)* can o *(U.S.)* pot	*regadera*
hose	*manguera, manga de riego*
barbecue	*barbacoa*
garden shed	*cobertizo*
path	*sendero, camino*
gate	*verja, portal*

our house is up for sale
hemos puesto la casa en venta

when are you moving out?
¿cuándo os trasladáis?

a fire was burning in the hearth
el fuego ardía en el hogar (de la chimenea)

he left the hall light on
(él) dejó la luz de la entrada encendida

Nota :

★ Falsos amigos: cave significa «cueva, caverna»; «cava», en español, designa el lugar donde se elaboran ciertos vinos espumosos (al estilo francés) pero no debe confundirse con bodega, que en inglés es cellar.

Library significa «biblioteca»; en inglés británico, librería es bookshop, mientras que en inglés americano es bookstore. Una «librería» (mueble) se denomina bookcase en inglés.

★ First floor, en inglés británico, significa «primera planta» o «primer piso», pero en inglés americano significa «planta baja». En Gran Bretaña, la planta baja se denomina ground floor. Por lo tanto, en Estados Unidos se utiliza second floor para designar la primera planta o primer piso, third floor para la segunda planta y así sucesivamente.

Véanse también los capítulos:

26 THE CITY La ciudad

town	ciudad (pequeña, mediana)
city	ciudad (grande)
village	pueblo
capital (city)	capital
suburbs	afueras, barrios periféricos, extrarradio
outskirts	afuera, extrarradio
district	distrito, barrio
surroundings	alrededores
area	zona, región
built-up area	zona urbanizada, aglomeración urbana
industrial estate (Brit.)	zona industrial
residential district	barrio residencial
(shopping) mall (U.S.)	centro comercial
shopping centre (Brit.)	centro comercial
shop (Brit.)	tienda
store (U.S.)	tienda
old town	casco antiguo
town o city centre (Brit.)	centro de la ciudad
downtown (U.S.)	centro de la ciudad
market town	mercado
(university) halls of residence (Brit.)	residencia universitaria, colegio mayor
housing estate (Brit.)	urbanización
dormitory town	ciudad dormitorio
slums	barrios pobres/bajos
avenue	avenida
boulevard	bulevar
cul-de-sac	calle sin salida
dead end	calle sin salida
bypass	circunvalación
ring road (Brit.)	ronda, circunvalación
beltway (U.S.)	cinturón, ronda
square	plaza
quay	muelle
embankment	terraplén, dique (de un río)
road	carretera
motorway (Brit.)	autopista
freeway (U.S.)	autovía
rest area	área de descanso
block	edificio de pisos/apartamentos
street	calle

shopping street	*calle comercial*
pedestrian precinct *(Brit.)*	*calle peatonal*
main street *(Brit.)*	*calle principal*
alley(way)	*callejón*
roadway	*calzada*
pavement	*(Brit.) acera, (U.S.) calzada*
sidewalk *(U.S.)*	*acera*
junction	*cruce*
intersection *(U.S.)*	*intersección, cruce*
roundabout *(Brit.)*	*rotonda, glorieta*
traffic circle *(U.S.)*	*rotonda, glorieta*
traffic lights	*semáforo*
traffic jam	*atasco (de tráfico)*
car park *(Brit.)*	*aparcamiento*
parking lot o garage *(U.S.)*	*aparcamiento, parking*
(parking) meter	*parquímetro*
underground *(Brit.)* car park o (U.S.) parking lot	*aparcamiento subterráneo*
paving stone	*adoquín*
gutter	*cuneta*
sewers	*alcantarillas, desagües, cloacas*
park	*parque*
street lamp	*farola*
streetlight	*farola*
(public) gardens	*jardín público*
cemetery	*cementerio*
graveyard	*cementerio*
churchyard	*cementerio (junto a una iglesia)*
bridge	*puente*
harbour, *(U.S.)* harbor	*puerto*
wharf	*muelle*
airport	*aeropuerto*
railway station *(Brit.)*	*estación de tren*
railroad station *(U.S.)*	*estación de tren*
stadium	*estadio*
football pitch *(Brit.)*	*campo de fútbol*
tennis court	*pista de tenis*
gym	*gimnasio*
swimming pool	*piscina*

buildings los edificios

building	*edificio*
block of flats *(Brit.)*	*edificio, bloque de pisos*
apartment building *(U.S.)*	*edificio de apartamentos*

public building	edificio público
town hall (Brit.)	ayuntamiento
city hall (U.S.)	ayuntamiento
court (Brit.)	tribunal, juzgado
courthouse (U.S.)	palacio de Justicia
tourist information office o centre o (U.S.) center	oficina de información turística
post office	oficina de correos
newsagent's (Brit.)	quiosco
library	biblioteca
police station	comisaría de policía
school	escuela
secondary school (Brit.)	colegio, instituto
high school (U.S.)	instituto
university	universidad
college (Brit.)	facultad, escuela/colegio universitario
barracks	cuarteles
fire station	cuartel de bomberos
prison	prisión, cárcel
factory	fábrica, factoría
hospital	hospital
old people's home	residencia para la tercera edad
retirement home	residencia para la tercera edad
community centre	centro social
arts centre	centro cultural
theatre, (U.S.) theater	teatro
cinema	cine
movie theater (U.S.)	sala de cine
opera (house)	ópera
museum	museo
art gallery	museo de arte, galería de arte
castle	castillo
palace	palacio
tower	torre
skyscraper	rascacielos
cathedral	catedral
abbey	abadía
church	iglesia, templo
chapel	capilla
steeple	torre de la iglesia, campanario
synagogue	sinagoga
mosque	mezquita
memorial	monumento conmemorativo
monument	monumento
war memorial	monumento a los caídos (de la guerra)
statue	estatua
fountain	fuente

people las personas

city-dweller	*ciudadano*
inhabitant	*habitante, residente*
passer-by	*transeúnte*
onlooker	*curioso, mirón*
tourist	*turista*

Greater London
la aglomeración de Londres

we're going (in)to town
vamos a la ciudad

she lives in town o (U.S.) downtown
vive en el centro (de la ciudad)

he commutes from Leicester to London
va todos los días de Leicester a Londres

Véanse también los capítulos:

27 ON THE ROAD
EN LA CARRETERA

to drive	*conducir*
to start the car	*arrancar (el automóvil)*
to slow down	*reducir (la velocidad)*
to brake	*frenar*
to accelerate	*acelerar*
to speed up	*aumentar la velocidad, acelerar*
to change gear *(Brit.)*	*cambiar de velocidad/marcha*
to shift gears *(U.S.)*	*cambiar de velocidad/marcha*
to *(Brit.)* change o *(U.S.)* shift down	*reducir (de marcha/velocidad)*
to *(Brit.)* change o *(U.S.)* shift up	*pasar a una marcha/velocidad superior*
to stop	*parar*
to park	*aparcar, estacionar*
to overtake *(Brit.)*	*adelantar*
to pass *(U.S.)*	*adelantar*
to do a U-turn	*cambiar de sentido*
to reverse	*hacer marcha atrás*
to back up	*hacer marcha atrás*
to switch on one's lights	*encender las luces/los faros*
to switch off one's lights	*apagar las luces/los faros*
to flash one's headlights	*hacer señales (con los faros)*
to put one's headlights on full beam	*poner las luces largas*
to cross	*atravesar, cruzar*
to go through	*atravesar*
to check	*comprobar, revisar*
to give way *(Brit.)*	*ceder el paso/la prioridad*
to yield *(U.S.)*	*ceder el paso/la prioridad*
to have (the) right of way	*tener prioridad*
to sound o *(fam.)* honk one's horn	*tocar el claxon/la bocina*
to hoot (one's horn) *(Brit.)*	*pitar/tocar el claxon*
to skid	*derrapar*
to break down	*tener una avería*
to run out of *(Brit.)* petrol o *(U.S.)* gas	*quedarse sin combustible/gasolina*
to fill up	*llenar el depósito*
to change a wheel	*cambiar una rueda*
to tow	*remolcar*
to repair	*reparar*
to commit an offence	*cometer una infracción*

to keep to the speed limit	*respetar la limitación de velocidad*
to break the speed limit	*superar el límite de velocidad*
to jump o go through a red light	*saltarse un semáforo en rojo*
to ignore o go through a stop sign	*saltarse un stop*

 ## vehicles **los vehículos**

car	*automóvil, coche*
automatic (car)	*automóvil (de cambio) automático*
manual car	*automóvil (de cambio) manual*
second-hand car	*automóvil de ocasión/segunda mano*
old heap o *(Brit.)* banger *(fam.)*	*viejo cacharro*
two/four-door car	*automóvil de dos/cuatro puertas*
hatchback	*automóvil de cinco puertas*
estate (car) *(Brit.)*	*automóvil familiar*
station wagon *(U.S.)*	*automóvil familiar, camioneta*
saloon (car) *(Brit.)*	*turismo*
sedan *(U.S.)*	*turismo, sedán*
racing car	*coche de carreras*
sports car	*coche deportivo*
front-wheel drive car	*coche de tracción delantera*
four-wheel drive (car), four-by-four (4X4)	*coche de tracción a las cuatro ruedas, 4X4*
right-hand drive car	*automóvil con el volante a la derecha*
convertible	*descapotable*
c.c.	*centímetros cúbicos, cilindrada*
make	*marca*
taxi	*taxi*
cab	*taxi*
lorry *(Brit.)*	*camión*
truck *(U.S.)*	*camión*
articulated lorry *(Brit.)*	*camión articulado*
trailer truck *(U.S.)*	*camión articulado, tráiler*
van	*camioneta*
breakdown lorry *(Brit.)*	*grúa, remolque*
tow truck *(U.S.)*	*grúa, remolque*
motorbike	*motocicleta, moto*
moped	*ciclomotor*
scooter	*scooter*
camper (van)	*autocaravana*
Dormobile® *(Brit.)*	*autocaravana*
caravan *(Brit.)*	*caravana*
trailer	*remolque, (U.S.) caravana*

road users los conductores

motorist *(Brit.)*	*automovilista, conductor*
driver	*automovilista, conductor*
reckless driver	*conductor temerario*
hit-and-run driver	*conductor que se da a la fuga*
Sunday driver	*conductor dominguero*
passenger	*pasajero*
taxi o cab driver	*taxista*
lorry driver *(Brit.)*	*camionero, transportista*
truck driver *(U.S.)*	*camionero, transportista*
motorcyclist	*motociclista, motorista*
biker *(fam.)*	*motero*
cyclist	*ciclista*
hitchhiker	*autoestopista*
pedestrian	*peatón*

car parts partes del automóvil

accelerator	*acelerador*
back seat	*asiento trasero*
battery	*batería*
body	*carrocería*
bonnet *(Brit.)*	*capó*
boot *(Brit.)*	*maletero*
brake	*freno*
brake lights	*luces/pilotos de freno*
bumper	*parachoques*
car radio	*autorradio*
carburettor	*carburador*
chassis	*chasis*
choke	*estárter*
clutch	*embrague*
dashboard	*tablero de mandos*
door	*portezuela, puerta*
emergency brake *(U.S.)*	*freno de mano*
engine	*motor*
exhaust (pipe) *(Brit.)*	*silenciador*
fan belt	*correa del ventilador*
fender *(U.S.)*	*parachoques*
fifth gear	*quinta velocidad/marcha*
first gear	*primera velocidad/marcha*
flasher *(U.S.)*	*intermitente*
fog lamp	*faro antiniebla*
fourth gear	*cuarta velocidad/marcha*
front seat	*asiento delantero*

gas cap *(U.S.)*	*tapón del depósito de combustible*
gas gauge *(U.S.)*	*indicador del nivel de combustible*
gas pedal *(U.S.)*	*acelerador*
gas tank *(U.S.)*	*depósito de combustible*
gear lever o stick *(Brit.)*	*palanca de cambios*
gear shift *(U.S.)*	*palanca de cambios*
gearbox	*caja de cambios*
gears	*velocidades, marchas*
glove compartment	*guantera*
handbrake *(Brit.)*	*freno de mano*
heating	*calefacción*
hood *(U.S.)*	*capó*
horn	*claxon, pito, bocina*
hubcap	*tapacubos, embellecedor*
ignition	*encendido*
indicator *(Brit.)*	*intermitente*
jack	*gato*
hazard (warning) lights	*luces de emergencia*
headlights	*luces de cruce*
license plate *(U.S.)*	*(placa de) matrícula*
lights	*faros, luces*
lock	*cerradura*
neutral	*punto muerto*
number o registration plate *(Brit.)*	*(placa de) matrícula*
oil gauge	*indicador del nivel de aceite*
overdrive	*sobrepasar el límite de velocidad*
pedal	*pedal*
petrol cap *(Brit.)*	*tapón del depósito*
petrol gauge *(Brit.)*	*indicador del nivel de combustible*
petrol tank *(Brit.)*	*depósito de combustible*
radiator	*radiador*
rear lights *(Brit.)*	*luces traseras*
rearview mirror	*espejo retrovisor (interior)*
reverse	*marcha atrás*
roof rack	*baca, portaequipajes*
seat belt	*cinturón de seguridad*
second gear	*segunda velocidad/marcha*
stick shift *(U.S.)*	*cambio de marchas*
side lamps *(U.S.)*	*luces de posición*
side-view mirror *(U.S.)*	*espejo retrovisor lateral*
sidelights *(Brit.)*	*luces de posición*
spare part	*pieza de recambio*
spare wheel *(Brit.)*	*rueda de recambio*
spark plug	*bujía*
speedometer	*cuentakilómetros*
steering wheel	*volante*
suspension	*suspensión*

tail lamps *(U.S.)*	*luces traseras*
tail pipe *(U.S.)*	*silenciador*
tail lights *(Brit.)*	*luces traseras*
third gear	*tercera velocidad/marcha*
transmission	*transmisión*
trunk *(U.S.)*	*maletero*
tyre, *(U.S.)* tire	*neumático*
warning lights	*luces de emergencia*
wheel	*rueda*
window	*ventanilla*
windscreen *(Brit.)*	*parabrisas*
windshield *(U.S.)*	*parabrisas*
windscreen wiper *(Brit.)*	*limpiaparabrisas*
windshield wiper *(U.S.)*	*limpiaparabrisas*
wing *(Brit.)*	*guardabarros*
wing mirror *(Brit.)*	*retrovisor lateral*
petrol *(Brit.)*	*gasolina, combustible*
gas *(U.S.)*	*gasolina*
two-star (petrol) *(Brit.)*	*gasolina normal*
regular *(U.S.)*	*gasolina normal*
four-star (petrol) *(Brit.)*	*súper*
premium *(U.S.)*	*súper*
unleaded *(Brit.)* petrol o *(U.S.)* gas	*gasolina sin plomo*
fuel	*carburante*
diesel	*gasoil, gasóleo, diésel*
oil	*aceite*
antifreeze	*anticongelante*
exhaust fumes	*gases de escape*

problems mantenimiento

garage	*garaje*
(car) mechanic	*mecánico*
repairs	*reparaciones*
service station	*estación de servicio, gasolinera*
petrol station *(Brit.)*	*estación de servicio, gasolinera*
gas station *(U.S.)*	*estación de servicio, gasolinera*
petrol pump *(Brit.)*	*surtidor de gasolina*
gas pump *(U.S.)*	*surtidor de gasolina*
insurance	*seguro*
third-party insurance	*seguro a terceros*
comprehensive insurance	*seguro a todo riesgo*
insurance policy	*póliza de seguro*
driving licence *(Brit.)*	*permiso de conducción*
driver's license *(U.S.)*	*permiso de conducción*
car registration papers	*permiso de circulación*

green card	*carta verde (certificado internacional de seguro)*
(road) tax disc *(Brit.)*	*certificado de pago del impuesto de circulación*
(car) registration sticker *(U.S.)*	*certificado de pago del impuesto de circulación*
Highway Code *(Brit.)*	*código de circulación*
rules of the road *(U.S.)*	*código de circulación*
speed	*velocidad*
speeding	*exceso de velocidad*
offence	*infracción*
(parking) ticket	*tique de aparcamiento*
(wheel) clamp	*cepo*
pound	*depósito de vehículos*
fine	*multa*
right of way	*prioridad*
no parking (sign)	*(señal de) prohibido aparcar*
flat tyre o *(U.S.)* tire	*pinchazo, reventón*
breakdown	*avería*
traffic jam	*atasco*
detour	*desvío, variante*
diversion *(Brit.)*	*desvío*
roadworks	*obras en la vía pública*
(black) ice *(Brit.)*	*hielo (en la carretera)*
(glare) ice *(U.S.)*	*hielo (en la carretera)*
visibility	*visibilidad*

driving along en ruta

traffic	*circulación*
road map	*mapa de carreteras*
road	*carretera*
main road *(Brit.)*	*carretera principal*
A road *(Brit.)*	*carretera nacional*
highway *(U.S.)*	*carretera nacional, autopista*
B road *(Brit.)*	*carretera comarcal*
motorway *(Brit.)*	*autopista*
freeway *(U.S.)*	*autovía*
interstate (highway) *(U.S.)*	*autopista interestatal*
turnpike *(U.S.)*	*autopista de peaje*
bypass	*circunvalación, ronda*
one-way street	*calle de sentido único*
lane	*vía, carril*
road sign	*señal de circulación*
stop sign	*stop*
traffic lights	*semáforo*

pavement	(Brit.) acera, (U.S.) calzada
sidewalk (U.S.)	acera
pedestrian o zebra crossing (Brit.)	paso de peatones/cebra
crosswalk (U.S.)	paso de peatones
bend (Brit.)	curva
turn (U.S.)	curva, giro
central reservation (Brit.)	mediana (de calle o carretera)
center divider strip (U.S.)	mediana (de calle o carretera)
crossroads	cruce de carreteras
junction	cruce, intersección
roundabout (Brit.)	rotonda
traffic circle (U.S.)	rotonda
toll	peaje
service area	área de servicio
level crossing (Brit.)	paso a nivel
grade crossing (U.S.)	paso a nivel
(parking) meter	parquímetro

---

what make is it? – it's a Ford
¿qué marca es? – es un Ford

could you check the tyre pressure/oil level?
¿puede comprobar la presión de los neumáticos/el nivel de aceite?

get into third gear!
¡pon la tercera!

fasten your seat belt!
¡abróchate el cinturón!

he dipped his headlights/switched to sidelights
puso las luces de posición

she was doing 70 miles an hour
iba a 110 kilómetros por hora

this car does... miles **to the gallon**
este coche consume... litros a los cien

he lost his driving licence
le han retirado el permiso de conducción

in England, they drive on the left
en Inglaterra se conduce por la izquierda

I'm at the wheel
voy al volante/yo conduzco

you've gone the wrong way
te has equivocado de camino

you'll find **a** crossroads
encontrará un cruce

I **sat** my driving test on Monday – did you **pass**?
hice el examen de conducir el lunes – ¿has aprobado?

a car was double-parked
un automóvil aparcado en doble fila

he always picks up hitchhikers
siempre recoge autoestopistas

I'll pick you up at 5
te recojo a las 5

Nota:

★ El pronombre personal que se utiliza normalmente para designar un medio de transporte en inglés es it:

where's the car? – it's in the driveway
¿dónde está el coche? – está en la calle

Sin embargo, a veces se utiliza el pronombre femenino para hablar de un coche, en el caso en que el hablante muestre que le tiene cierto cariño:

she's been a long way, this old car
ya ha hecho kilómetros, este viejo coche...

fill her up o fill it up, please
llene el depósito, por favor

Véase también el capítulo:

53 ACCIDENTES

28 NATURE
NATURALEZA

to grow	*cultivar, crecer*
to flower	*florecer*
to blossom	*florecer*
to bloom	*florecer*
to bud	*brotar*
to wither (away)	*marchitarse*
to die	*morir*

landscape el paisaje

field	*campo*
meadow	*prado*
forest	*bosque*
wood	*bosque*
clearing	*claro*
orchard	*vergel*
moor	*landa*
marsh	*pantano*
desert	*desierto*
jungle	*jungla*
swamp	*ciénaga*

plants las plantas

tree	*árbol*
shrub	*arbusto*
bush	*arbusto, matorral*
root	*raíz*
trunk	*tronco*
branch	*rama*
twig	*ramita*
shoot	*brote, retoño*
bud	*yema*
flower	*flor*
blossom	*floración*
leaf	*hoja*
foliage	*follaje*
bark	*corteza*
treetop	*copa*

pine cone	*piña de pino*
pine needles	*pinaza*
clover	*trébol*
(edible) mushroom	*seta (comestible)*
toadstool	*seta venenosa*
bracken	*helecho*
fern	*helecho*
grass	*hierba*
heather	*brezo*
holly	*acebo*
ivy	*hiedra*
mistletoe	*muérdago*
moss	*musgo*
reed	*caña, junco*
seaweed	*alga*
vine	*viña, vid*
vineyard	*viñedo*
weeds	*malas hierbas*

trees los árboles

conifer	*conífera*
deciduous tree	*árbol de hoja caduca*
evergreen	*árbol de hoja perenne*
ash	*fresno*
beech	*haya*
birch	*abedul*
cedar	*cedro*
chestnut	*castaño*
cypress	*ciprés*
elm	*olmo*
fir	*abeto*
horse chestnut	*castaño de Indias*
maple	*arce*
oak	*roble*
pine	*pino*
plane	*plátano*
poplar	*álamo*
walnut	*nogal*
weeping willow	*sauce llorón*
yew	*tejo*

fruit trees and bushes — árboles frutales y arbustos

acorn	*bellota*
almond tree	*almendro*
apple tree	*manzano*
apricot tree	*albaricoquero*
banana tree	*platanero*
berry	*baya*
blackberry bush	*morera silvestre, zarzamora*
blackcurrant bush	*grosellero*
cherry tree	*cerezo*
chestnut	*castaña*
fig tree	*higuera*
lemon tree	*limonero*
orange tree	*naranjo*
peach tree	*melocotonero*
pear tree	*peral*
plum tree	*ciruelo*
raspberry bush o cane	*frambueso*
redcurrant bush	*grosellero rojo*
strawberry plant	*fresa*

flowers — las flores

wild flower	*flor silvestre*
stem	*tallo*
petal	*pétalo*
pollen	*polen*
anemone	*anémona*
buttercup	*ranúnculo, francesilla*
carnation	*clavel*
chrysanthemum	*crisantemo*
cornflower	*aciano*
daffodil	*narciso*
daisy	*margarita*
dandelion	*diente de león*
geranium	*geranio*
hawthorn	*espino*
honeysuckle	*madreselva*
hyacinth	*jacinto*
hydrangea	*hortensia*
iris	*lirio*
jasmine	*jazmín*
lilac	*lila*

lily	*lirio blanco, azucena*
lily of the valley	*lirio de los valles, muguete*
orchid	*orquídea*
petunia	*petunia*
poppy	*amapola*
primrose	*prímula*
rhododendron	*rododendro*
rose	*rosa*
snowdrop	*campanilla de invierno*
sweet pea	*guisante de olor, (U.S.) clarín*
tulip	*tulipán*
violet	*violeta*

---

the roses are just coming into blossom o bloom
las rosas están comenzando a florecer

the cherry trees are in full blossom o bloom
los cerezos están en plena floración

let's go and pick o collect o gather some mushrooms
vamos a coger setas

we went to pick daisies
fuimos a coger margaritas

Nota:

★ **Seaweed** *(algas)* es un nombre incontable. Para referirse a una sola alga se utiliza **a piece of seaweed**. El término **weed** *(mala hierba)* forma el plural acabado en **-s**.

Véanse también los capítulos:

29 ANIMALS
LOS ANIMALES

to bark	*ladrar*
to bleat	*balar*
to mew	*maullar*
to moo	*mugir*
to neigh	*relinchar*
to tweet	*piar*
to twitter	*gorjear*

pets animales domésticos

cat	*gato*
kitten	*gatito*
dog	*perro*
puppy	*perrito, cachorro*
goldfish	*pez de colores*
guinea pig	*conejillo de Indias*
hamster	*hámster*

farm animals animales de granja

calf	*ternero*
chick	*polluelo*
cock *(Brit.)*	*gallo*
cow	*vaca*
donkey	*asno*
duck	*pato*
duckling	*patito*
ewe	*oveja*
foal	*potro*
goat	*cabra*
goose *(pl.* geese*)*	*oca*
hen	*gallina*
horse	*caballo*
lamb	*cordero (borrego joven)*
mare	*yegua*
mule	*mulo*
ox	*buey*
pig	*cerdo (genérico para macho y hembra)*
rabbit	*conejo*
ram	*carnero (borrego macho adulto)*

rooster *(U.S.)*	*gallo*
sheep	*borrego, oveja*
sow	*cerda*
turkey	*pavo*

wild animals animales salvajes

mammal	*mamífero*
fish	*pez*
reptile	*reptil*
leg	*pata*
paw	*pata, zarpa*
hoof	*pezuña*
muzzle	*hocico*
snout	*morro*
tail	*cola, rabo*
trunk	*trompa*
claws	*garras*
antelope	*antílope*
bear	*oso*
beaver	*castor*
buffalo	*búfalo*
camel	*camello*
deer	*ciervo, venado*
hind	*cierva*
doe	*gama, coneja, liebre (hembra)*
dolphin	*delfín*
dromedary	*dromedario*
elephant	*elefante*
fallow deer	*gamo*
field mouse	*ratón de campo*
fox	*zorro*
gazelle	*gacela*
giraffe	*jirafa*
gorilla	*gorila*
grouse	*urogallo*
hare	*liebre*
hedgehog	*erizo*
hippopotamus	*hipopótamo*
kangaroo	*canguro*
koala bear	*koala*
leopard	*leopardo*
lion(ess)	*león(a)*
monkey	*mono*

mouse, mice *(pl.)*	*ratón, ratones*
octopus	*pulpo*
rat	*rata*
roe deer	*corzo*
seal	*foca*
shark	*tiburón*
squirrel	*ardilla*
stag	*ciervo, venado*
tiger	*tigre*
tortoise	*tortuga*
weasel	*comadreja*
whale	*ballena*
wild boar	*jabalí*
wolf	*lobo*
zebra	*cebra*

reptiles etc reptiles, etc.

crocodile	*cocodrilo*
alligator	*aligátor, caimán*
lizard	*lagarto*
snake	*serpiente, culebra*
rattlesnake	*serpiente de cascabel*
adder	*víbora*
grass snake	*culebra*
cobra	*cobra*
boa	*boa*
frog	*rana*
toad	*sapo*

birds pájaros

bird	*pájaro, ave*
bird of prey	*ave rapaz*
foot	*pata*
claws	*garra*
wing	*ala*
beak	*pico*
feather	*pluma*
blackbird	*mirlo*
budgerigar *(Brit.)*	*periquito*
budgie *(Brit., fam.)*	*periquito*
canary	*canario*
chaffinch	*pinzón*

crow	*cuervo*
cuckoo	*cuco*
dove	*paloma*
eagle	*águila*
falcon	*halcón*
flamingo	*flamenco*
heron	*garza*
kingfisher	*martín pescador*
lark	*alondra*
magpie	*urraca*
nightingale	*ruiseñor*
ostrich	*avestruz*
owl	*lechuza, búho*
parakeet	*periquito*
parrot	*loro, papagayo, cotorra*
partridge	*perdiz*
peacock	*pavo real*
penguin	*pingüino*
pheasant	*faisán*
pigeon	*palomo*
raven	*cuervo*
robin	*petirrojo*
seagull	*gaviota*
sparrow	*gorrión*
starling	*estornino*
stork	*cigüeña*
swallow	*golondrina*
swan	*cisne*
(blue) tit	*paro (herrerillo, alionín, pájaro moscón)*
vulture	*buitre*

insects etc insectos, etc.

ant	*hormiga*
bee	*abeja*
beetle	*escarabajo*
bumblebee	*abejorro*
butterfly	*mariposa*
caterpillar	*oruga*
centipede	*ciempiés*
cicada	*cigarra*
cockroach	*cucaracha*
flea	*pulga*
fly	*mosca*
grasshopper	*saltamontes, langosta*
hornet	*avispón*

ladybird *(Brit.)*	*mariquita*
ladybug *(U.S.)*	*mariquita*
millipede	*ciempiés*
mosquito	*mosquito*
roach *(U.S.)*	*cucaracha*
spider	*araña*
wasp	*avispa*

---

we could hear the sheep bleating
oíamos balar a las ovejas

the eagle took ø flight
el águila alzó el vuelo

I got stung by a bee
me ha picado una abeja

I got bitten by a mosquito
me ha picado un mosquito

Nota:

★ El pronombre personal it se utiliza cuando se habla de un animal en general (de la especie), pero cuando se conoce bien al animal del que se habla se utiliza el pronombre he/she:

have you seen the cat? — I think she's gone out
¿has visto a la gata? – creo que ha salido

the dog is hungry, would you mind feeding him?
el perro tiene hambre, ¿te importaría darle de comer?

★ El masculino y el femenino de algunos animales puede formarse colocando he o she delante del nombre. Por ejemplo: she-dog *perra*, she-monkey *mona*, she-wolf *loba*, he-goat *macho cabrío*, etc.

★ Algunos nombres de animales no presentan variación entre singular y plural. Por ejemplo: deer *ciervo(s)*, sheep *oveja(s)*, grouse *urogallo(s)*.

Otros nombres de animales pierden la -s del plural cuando se habla de la caza. Por ejemplo:

these antelopes have just been bought by the zoo
el zoológico acaba de comprar estos antílopes

they went to Africa to shoot antelope
fueron a África para cazar antílopes

Lo mismo sucede con buffalo *búfalo*, duck *pato*, giraffe *jirafa*, lion *león*, partridge *perdiz*, pheasant *faisán*, etc.

30 WHAT'S THE WEATHER LIKE? ¿QUÉ TIEMPO HACE?

to rain	*llover*
to drizzle	*lloviznar*
to be pouring (with rain)	*llover a cántaros, diluviar*
to snow	*nevar*
to be freezing	*helar*
to blow	*soplar* (el viento)
to shine	*brillar*
to melt	*fundir*
to improve	*mejorar*
to get worse	*empeorar*
to change	*cambiar*
overcast	*cubierto, nublado*
cloudy	*nublado*
clear	*despejado*
sunny	*soleado*
stormy	*tempestuoso*
muggy	*bochornoso*
dry	*seco*
warm	*cálido, caluroso*
hot	*muy caluroso, sofocante*
cold	*frío*
icy	*helado, gélido*
mild	*templado*
pleasant	*agradable*
awful	*horrible*
changeable	*variable*
damp	*húmedo*
rainy	*lluvioso*
foggy	*brumoso, nebuloso*
hazy	*brumoso, neblinoso*
misty	*brumoso, nebuloso*
in the sun	*al sol*
in the shade	*a la sombra*
weather	*tiempo atmosférico*
temperature	*temperatura*
meteorology	*meteorología*
weather forecast	*previsión meteorológica*
climate	*clima*
atmosphere	*atmósfera*

atmospheric pressure	*presión atmosférica*
improvement	*mejora*
lull	*calma*
thermometer	*termómetro*
degree	*grado*
barometer	*barómetro*
sky	*cielo*

rain la lluvia

raindrop	*gota de lluvia*
downpour	*chaparrón, aguacero*
shower	*chubasco*
April showers	*lluvias de abril*
hail	*granizada*
hailstone	*granizo*
cloud	*nube*
dew	*rocío*
drizzle	*llovizna*
fog	*bruma, niebla*
mist	*neblina, niebla*
haze	*bruma, neblina*
puddle	*charco (de agua)*
flood	*inundación*
thunder	*trueno*
(thunder)storm	*tormenta*
lightning	*rayo*
(flash of) lightning	*relámpago*
sunny interval	*(intervalo de) claros*
rainbow	*arco iris*
humidity	*humedad*

cold weather el frío

snow	*nieve*
snowflake	*copo de nieve*
snowfall	*precipitación de nieve*
snowstorm	*tempestad/tormenta de nieve*
avalanche	*avalancha*
snowball	*bola de nieve*
snowplough, *(U.S.)* snowplow	*quitanieves*
snowman	*muñeco de nieve*
frost	*helada*
thaw	*deshielo*
frost	*escarcha*
(black) ice *(Brit.)*	*capa de hielo muy fina*

145

(glare) ice *(U.S.)*	*capa de hielo muy fina*
ice	*hielo*

 good weather el buen tiempo

sun	*sol*
ray of sunshine	*rayo de sol*
heat	*calor*
heat haze	*calina*
heatwave	*ola de calor*
scorching heat	*canícula*
drought	*sequía*

 **wind** el viento

wind	*viento*
draught, *(U.S.)* draft	*corriente de aire*
gust o blast (of wind)	*ráfaga, golpe de viento*
North wind	*viento del norte*
breeze	*brisa*
hurricane	*huracán*
tornado	*tornado*
storm	*tempestad, tormenta*

---

the weather is good/bad
hace buen/mal tiempo

the weather is awful o dreadful
hace un tiempo espantoso

it's 86° F (degrees Fahrenheit) in the shade
hace 30° C (grados Celsius) a la sombra

it's minus 4
estamos a 4 grados bajo cero

it's sunny/foggy/icy
hace sol/hay niebla/hace frío

it's raining
está lloviendo/llueve

it's raining cats and dogs
llueve a cántaros

it's thundering
está tronando/truena

it's snowing
está nevando/nieva

the wind's blowing/it's windy
hace viento

the sun's shining
el sol brilla

it's swelteringly hot
hace un calor sofocante

Véase también el capítulo:

5 ¿CÓMO SE ENCUENTRA?

31 FAMILY AND FRIENDS
FAMILIARES Y AMIGOS

family la familia

parents	*padres (la madre y el padre)*
relation, relative	*pariente (de la misma familia)*
mother	*madre*
father	*padre*
mum, *(U.S.)* mom	*mamá*
mummy, *(U.S.)* mommy	*mami (usado por niños muy pequeños)*
dad	*papá*
daddy	*papi (usado por niños muy pequeños)*
child *(pl.* children*)*	*niño*
baby	*bebé*
daughter	*hija*
son	*hijo*
adopted daughter	*hija adoptiva*
adopted son	*hijo adoptivo*
foster child	*niño adoptivo*
sister	*hermana*
twin sister	*hermana gemela/melliza*
brother	*hermano*
twin brother	*hermano gemelo/mellizo*
half-sister	*hermanastra*
half-brother	*hermanastro*
grandmother, grandfather	*abuela, abuelo*
grandparents	*abuelos*
grandchildren	*nietos*
granddaughter	*nieta*
grandson	*nieto*
great-grandmother	*bisabuela*
great-grandfather	*bisabuelo*
wife	*esposa, mujer*
husband	*esposo, marido*
fiancée	*novia, prometida*
fiancé	*novio, prometido*
partner	*cónyuge, pareja*
stepmother	*madrastra*
stepfather	*padrastro*
stepdaughter	*hijastra*
stepson	*hijastro*
mother-in-law	*suegra*

father-in-law	*suegro*
daughter-in-law	*nuera*
son-in-law	*yerno*
in-laws *(fam.)*	*familia política*
aunt	*tía*
uncle	*tío*
great-aunt	*tía abuela*
great-uncle	*tío abuelo*
cousin	*primo*
niece	*sobrina*
nephew	*sobrino*
godmother, godfather	*madrina, padrino*
goddaughter	*ahijada*
godson	*ahijado*

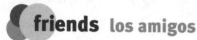 **friends** los amigos

friend	*amigo*
school friend	*compañero de clase/escuela*
boyfriend	*novio*
girlfriend	*novia*
neighbour, *(U.S.)* neighbor	*vecino*

---

have you got any brothers and sisters?
¿tienes hermanos y hermanas?

I'm an only child
soy hijo único/hija única

I have no brothers or sisters
no tengo hermanos

I'm the oldest
soy el mayor

my mother is expecting a baby
mi madre espera un hijo

my big brother is 17
mi hermano mayor tiene 17 años

I'm looking after my little sister
estoy cuidando de mi hermana pequeña

he's a cousin by marriage
es un primo político

my youngest brother sucks his thumb
*mi hermano más pequeño se chupa
 el pulgar*

she's my aunt on my mother's side
es mi tía materna

my eldest sister is a hairdresser
mi hermana mayor es peluquera

I formed a friendship with him
he trabado amistad con él

she has relatives in Canada
tiene parientes en Canadá

he's a friend of mine
es amigo mío

Véase también el capítulo:

8   LA IDENTIDAD

32 SCHOOL AND EDUCATION
ESCUELA Y EDUCACIÓN

to go to school	*ir a la escuela*
to study	*estudiar*
to learn	*aprender*
to learn by heart	*aprender de memoria*
to do one's homework	*hacer los deberes*
to recite a poem	*recitar un poema*
to ask	*preguntar*
to answer	*responder, contestar*
to go to the blackboard	*salir a la pizarra*
to know	*saber*
to revise	*revisar, corregir*
to take o *(Brit.)* sit an exam	*hacer un examen*
to pass one's exams	*aprobar los exámenes*
to fail one's exams	*suspender los exámenes*
to fail an exam	*suspender un examen*
to repeat *(Brit.)* a year o *(U.S.)* a grade	*repetir un curso*
to take the register *(Brit.)*	*pasar lista*
to take the roll call *(U.S.)*	*pasar lista*
to expel	*expulsar*
to suspend	*expulsar provisionalmente*
to punish	*castigar*
to play truant o *(U.S., fam.)* hookey	*hacer novillos*
to bunk off school *(Brit., fam.)*	*hacer novillos*
absent	*ausente*
present	*presente*
brilliant	*brillante*
clever	*inteligente*
gifted	*dotado*
hard-working	*trabajador, aplicado*
inattentive	*distraído*
studious	*estudioso*
undisciplined	*indisciplinado*
playschool *(Brit.)*	*jardín de infancia, guardería*
nursery school *(Brit.)*	*jardín de infancia, guardería*
kindergarten *(U.S.)*	*jardín de infancia, guardería*

primary school *(Brit.)*	*escuela primaria (colegio)*
elementary school *(U.S.)*	*escuela primaria (colegio)*
secondary school *(Brit.)*	*escuela secundaria (escuela e instituto)*
junior high school *(U.S.)*	*instituto (primer ciclo de enseñanza secundaria)*
high school *(U.S.)*	*instituto (enseñanza secundaria)*
comprehensive (school) *(Brit.)*	*instituto de enseñanza secundaria*
private school	*escuela privada*
public school	*(Brit.) colegio privado, (U.S.) escuela pública*
state school *(Brit.)*	*escuela pública*
college *(Brit.)*	*colegio mayor, facultad, universidad*
technical college	*universidad politécnica*
college of further education *(Brit.)*	*centro de formación (profesional)*
boarding school	*internado*
university	*universidad*

at school *en la escuela*

class	*clase, curso (promoción)*
classroom	*aula*
headteacher's office *(Brit.)*	*despacho del director*
principal's office *(U.S.)*	*despacho del director*
staffroom *(Brit.)*	*sala de profesores*
teachers' lounge *(U.S.)*	*sala de profesores*
library	*biblioteca*
assembly hall *(Brit.)*	*sala de reuniones/salón de actos*
registration room *(Brit.)*	*secretaría*
homeroom *(U.S.)*	*aula principal*
laboratory	*laboratorio*
language lab	*laboratorio de idiomas*
canteen	*bar, restaurante, comedor*
playground *(Brit.)*	*patio de recreo*
yard *(U.S.)*	*patio de recreo*
gym	*gimnasio*

the classroom *el aula*

desk	*pupitre*
teacher's desk	*mesa del profesor*
table	*mesa*
chair	*silla*
locker	*taquilla, casillero*
cupboard	*armario*

blackboard	*pizarra*
whiteboard	*pizarra blanca*
chalk	*tiza*
duster	*borrador (de pizarra)*
sponge	*esponja*
school bag	*cartera*
exercise book	*cuaderno (de ejercicios)*
book	*libro*
dictionary	*diccionario*
pencil case	*estuche, plumier*
pen	*bolígrafo*
ballpoint (pen)	*bolígrafo*
Biro® *(Brit.)*	*Bic®, bolígrafo*
fountain pen	*pluma estilográfica*
pencil	*lápiz*
felt-tip (pen) *(Brit.)*	*rotulador*
pencil sharpener	*sacapuntas*
eraser	*goma de borrar*
rubber *(Brit.)*	*goma de borrar*
(paint)brush	*pincel*
(tube of) paint	*(tubo de) pintura*
painting	*pintura*
drawing paper	*papel de dibujo*
easel	*caballete*
ruler	*regla*
compass	*compás*
protractor	*transportador*
set-square	*escuadra*
calculator	*calculadora*
computer	*ordenador*

gym   gimnasia

rings	*anillas*
rope	*cuerda*
parallel bars	*barras paralelas*
asymmetric bars	*barras asimétricas*
beam	*barra fija*
horse	*potro*
trampoline	*trampolín*

teachers and pupils — profesores y alumnos

teacher	*maestro, profesor*
nursery school teacher *(Brit.)*	*maestro (de preescolar)*
kindergarten teacher *(U.S.)*	*maestro (de preescolar)*
primary school teacher *(Brit.)*	*maestro (de primaria)*
elementary school teacher *(U.S.)*	*maestro (de primaria)*
headmaster/headmistress *(Brit.)*	*director/directora de escuela*
headteacher *(Brit.)*	*director/directora de escuela*
principal *(U.S.)*	*director/directora de escuela*
French teacher	*profesor de francés*
English teacher	*profesor de inglés*
maths teacher	*profesor de matemáticas*
inspector	*inspector, supervisor*
pupil	*alumno*
schoolboy/girl	*alumno/alumna*
student	*estudiante*
boarder	*interno (internado)*
day pupil	*alumno externo (internado)*
good pupil	*buen alumno*
bad pupil	*mal alumno*
truant	*alumno que hace novillos*
school friend	*compañero de clase/escuela/colegio*

teaching — la enseñanza

term	*trimestre*
timetable	*horario*
subject	*asignatura, materia*
lesson	*lección*
period	*clase*
double period	*clase de unas dos horas*
free period	*hora libre*
registration *(Brit.)*	*inscripción, matrícula*
homeroom *(U.S.)*	*inscripción, matrícula*
class	*curso, clase*
course	*curso*
French class	*clase de francés*
maths class	*clase de matemáticas*
vocabulary	*vocabulario*
grammar	*gramática*
grammatical rule	*regla de gramática*
conjugation	*conjugación*
spelling	*ortografía*

writing	*escritura*
reading	*lectura*
literature	*literatura*
novel	*novela*
play	*obra de teatro*
poem	*poema*
short story	*relato*
sums	*sumas (cálculo)*
maths	*matemáticas*
algebra	*álgebra*
arithmetic	*aritmética*
geometry	*geometría*
trigonometry, *(fam.)* trig	*trigonometría*
calculus	*cálculo*
geometry	*geometría*
addition	*adición, suma*
subtraction	*sustracción, resta*
multiplication	*multiplicación*
division	*división*
equation	*ecuación*
angle	*ángulo*
acute/right/obtuse angle	*ángulo agudo/recto/obtuso*
surface	*superficie*
volume	*volumen*
triangle	*triángulo*
square	*cuadrado*
rectangle	*rectángulo*
cube	*cubo*
circle	*círculo*
diameter	*diámetro*
circumference	*circunferencia*
radius	*radio*
computer studies	*informática*
ICT	*informática*
history	*historia*
geography	*geografía*
science	*ciencia*
biology	*biología*
chemistry	*química*
physics	*física*
languages	*idiomas*
modern languages	*lenguas modernas*

classics	*lenguas clásicas*
Latin	*latín*
Greek	*griego*
religious education	*educación religiosa*
essay	*redacción*
translation	*traducción*
(unseen) translation	*traducción a primera vista*
prose	*ejercicio de traducción inversa*
music	*música*
art	*dibujo, pintura, enseñanza plástica*
CDT *(Brit.)*	*manualidades, diseño y tecnología*
technical drawing	*dibujo técnico*
woodwork	*carpintería, ebanistería*
metalwork	*metalistería*
home economics	*economía doméstica*
physical education, PE	*educación física, EF*
homework	*deberes*
exercise	*ejercicio*
problem	*problema*
question	*pregunta, cuestión*
answer	*respuesta*
test	*prueba*
written test	*prueba escrita, examen escrito*
oral (test)	*prueba oral, examen oral*
essay	*redacción (trabajo escrito)*
exam(ination)	*examen*
mistake	*error*
good mark	*buena nota*
bad mark	*mala nota*
pass mark	*aprobado, suficiente*
result	*resultado*
(school) report *(Brit.)*	*boletín (de notas/calificaciones)*
report card *(U.S.)*	*boletín (de notas/calificaciones)*
prize	*premio*
prizegiving	*entrega de premios*
certificate	*certificado*
diploma	*diploma*
GCSE *(Brit.)*	*certificado de enseñanza secundaria*
A level *(Brit.)*	*equivalente al bachillerato*
high-school diploma *(U.S.)*	*equivalente al bachillerato*

discipline	*disciplina*
punishment	*castigo*
detention	*correctivo*
lines	*renglones, líneas (a copiar)*
break *(Brit.)*	*recreo*
recess *(U.S.)*	*recreo, pausa*
bell	*campana, timbre*
school *(Brit.)* holidays o *(U.S.)* vacation	*vacaciones escolares*
half-term *(Brit.)*	*vacaciones a mitad de trimestre*
summer *(Brit.)* holidays o *(U.S.)* vacation	*vacaciones de verano*
Christmas *(Brit.)* holidays o *(U.S.)* vacation	*vacaciones de Navidad*
Easter *(Brit.)* holidays o *(U.S.)* vacation	*vacaciones de Semana Santa*

university la universidad

lecture	*curso, conferencia (magistral)*
tutorial	*tutoría, seminario*
student	*estudiante*
lecturer	*profesor de enseñanza superior, conferenciante*
chair	*cátedra*
professor	*profesor universitario*
lecture hall	*sala de conferencias, anfiteatro*
hall of residence *(Brit.)*	*residencia universitaria*
dormitory *(U.S.)*	*residencia universitaria*
students' union	*sindicato de estudiantes*
dissertation	*(Brit.) tesina, (U.S.) tesis*
(bachelor's) degree	*licenciatura*
master's degree, masters	*título de posgrado, máster*
PhD	*doctorado*

---

the whole class was given an hour's detention
toda la clase fue castigada una hora

the bell has gone
ha sonado la campana

we had a test on English grammar
hicimos un examen de gramática inglesa

---

he didn't pass his history exam
suspendió el examen de historia

she has a PhD in economics
está doctorada en economía

Nota:

★ A term *(un trimestre)* sólo se utiliza en el ámbito escolar y universitario. En el resto de casos se utiliza **a quarter**.

33 MONEY DINERO

to buy	*comprar*
to sell	*vender*
to spend	*gastar*
to borrow (from)	*pedir prestado*
to lend (to)	*prestar*
to pay	*pagar*
to pay cash	*pagar al contado*
to pay by cheque o *(U.S.)* check	*pagar con cheque*
to write a cheque o *(U.S.)* check	*extender un cheque*
to pay by instalments o *(U.S.)* installments	*pagar a plazos*
to pay back	*devolver, reembolsar*
to reimburse	*reembolsar, reintegrar*
to change money	*cambiar moneda*
to buy on credit	*comprar a crédito*
to give credit	*dar crédito, vender a crédito*
to withdraw money	*retirar/sacar dinero*
to deposit money	*ingresar dinero (en una cuenta)*
to pay in money *(Brit.)*	*ingresar dinero (en una cuenta)*
to transfer money	*hacer una transferencia*
to save money	*ahorrar (dinero)*
to do one's accounts	*hacer cuentas*
to be in the red	*estar en números rojos/en descubierto*
rich	*rico*
loaded *(fam.)*	*forrado*
poor	*pobre*
broke *(fam.)*	*arruinado, en bancarrota*
millionaire	*millonario*
money	*dinero*
pocket money	*dinero que se lleva encima para gastos cotidianos, dinero suelto*
cash	*metálico, contado*
(bank)note *(Brit.)*	*billete (de banco)*
bill *(U.S.)*	*billete (de banco)*
coin	*moneda*
purse	*(Brit.) monedero, (U.S.) bolso (de mujer)*
change purse *(U.S.)*	*monedero*
wallet *(Brit.)*	*billetero(a)*
billfold *(U.S.)*	*billetero(a)*

savings	*ahorros*
bank	*banco*
savings bank	*caja de ahorros*
exchange rate	*tipo de cambio*
till	*caja (registradora)*
cash desk	*caja (de una tienda o restaurante)*
checkout	*caja (de supermercado)*
cash dispenser	*cajero (automático)*
cashpoint, cash machine *(Brit.)*	*cajero (automático)*
ATM *(U.S.)*	*cajero (automático)*
bank account *(Brit.)*	*cuenta bancaria*
banking account *(U.S.)*	*cuenta bancaria*
current account *(Brit.)*	*cuenta corriente*
checking account *(U.S.)*	*cuenta corriente*
giro account *(Brit.)*	*cuenta postal*
savings account	*cuenta de ahorros*
deposit account	*depósito, cuenta de depósito*
withdrawal	*reintegro*
transfer	*transferencia*
overdraft	*descubierto*
bank manager	*director de banco*
bank clerk	*empleado de banca*
bank book	*libreta de depósitos*
credit card	*tarjeta de crédito*
debit card	*tarjeta de débito*
cheque (guarantee) card *(Brit.)*	*tarjeta de identificación bancaria*
PIN (number)	*código secreto, PIN*
cheque, *(U.S.)* check	*cheque, talón (bancario)*
chequebook, *(U.S.)* checkbook	*talonario de cheques, chequera*
traveller's cheque, *(U.S.)* traveler's check	*cheque de viajes*
Eurocheque *(Brit.)*	*eurocheque*
money order	*giro (postal)*
postal order *(Brit.)*	*giro (postal)*
credit	*crédito*
debit	*débito*
debts	*deudas*
loan	*préstamo*
mortgage	*préstamo inmobiliario/hipotecario*
change	*monedas, calderilla*
currency	*moneda (de un país)*
Stock Exchange	*bolsa de valores*

shares *(Brit.)*	*acciones*
stock *(U.S.)*	*acciones*
inflation	*inflación*
cost of living	*coste de la vida*
budget	*presupuesto*
foreign exchange	*divisa extranjera*
euro	*euro*
Swiss franc	*franco suizo*
pound (sterling)	*libra (esterlina, £)*
pence *(sing.,* penny)	*peniques (100 peniques = 1 £)*
dollar	*dólar ($)*
cent	*centavo, céntimo (100 centavos = 1 $)*
penny	*(Brit.) moneda de un penique,*
	(U.S.) moneda de un centavo
fiver *(fam.)*	*(Brit.) billete de cinco libras,*
	(U.S.) billete de cinco dólares
tenner *(fam.)*	*(Brit.) billete de diez libras,*
	(U.S.) billete de diez dólares

I'd like to pay some money into my account
quisiera ingresar dinero en mi cuenta

I'd like to change 500 euros into pounds
querría cambiar 500 euros en libras

what's the exchange rate for the euro?
¿cuál es el tipo de cambio del euro?

I transferred the funds to my bank account
he transferido los fondos a mi cuenta bancaria

I have an overdraft of £50 (fifty pounds)
tengo un descubierto de 50 libras

I get £5 (five pounds) pocket money per week
me dan 5 libras de semanada

I borrowed 1,000 euros from my father
he pedido prestados 1.000 euros a mi padre

I owe him $20 (twenty dollars)   I'll buy it on credit
le debo 20 dólares   *lo compraré a crédito*

I find it hard to make ends meet
me cuesta llegar a final de mes

I'm saving up to buy a motorbike
estoy ahorrando para comprar una motocicleta

Nota:

★ Debe recordarse que un nombre que forma un sintagma adjetival, o complemento del nombre, nunca lleva la **-s** del plural:

a ten-**pound** note   a five-**dollar** bill
un billete de diez libras   *un billete de cinco dólares*

★ Cuando se habla de las monedas y del valor del dinero, el plural de **penny** es irregular: **pence**. Además, es normal el uso más frecuente de **one pence** en lugar de **one penny** cuando se habla del precio de alguna cosa. Sin embargo, cuando **penny** se refiere a la moneda (moneda de un penique en Gran Bretaña o de un centavo en Estados Unidos), el plural es regular:

these are 18th-century **pennies**
son peniques del siglo xviii

Véanse también los capítulos:

34 TOPICAL ISSUES
TEMAS DE ACTUALIDAD

to discuss	*hablar (de), debatir (sobre)*
to argue	*exponer, discutir, polemizar*
to criticize	*criticar*
to defend	*defender*
to think	*pensar*
to believe	*creer*
to protest	*protestar*
for	*a favor*
against	*en contra*
in favour of	*a favor de*
opposed to	*en contra de*
intolerant	*intolerante*
broad-minded	*tolerante, amplio de miras*
problem	*problema*
issue	*tema, cuestión*
argument	*argumento, discusión, debate*
demonstration	*manifestación*
negotiation	*negociación*
society	*sociedad*
prejudice	*prejuicio*
morals	*moral*
mentality	*mentalidad*
Europe	*Europa*
European enlargement	*ampliación europea*
euro zone	*zona euro*
peace	*paz*
war	*guerra*
civil war	*guerra civil*
disarmament	*desarme*
nuclear energy	*energía nuclear*
nuclear bomb	*bomba atómica*
nuclear weapons	*armas atómicas/nucleares*
weapons of mass destruction	*armas de destrucción masiva*
suicide bomber	*terrorista suicida, hombre bomba*
terrorism	*terrorismo*

terrorist attack	*atentado terrorista*
retaliation	*represalia*
Middle East	*Oriente Medio, Próximo Oriente*
environment	*medio ambiente*
acid rain	*lluvia ácida*
greenhouse effect	*efecto invernadero*
ozone layer	*capa de ozono*
natural disaster	*catástrofe natural*
earthquake	*terremoto*
flood	*inundación*
gene	*gen*
genetic engineering	*ingeniería genética*
genetically modified	*modificado genéticamente*
GMO	*organismo modificado genéticamente*
cloning	*clonación*
transplant	*transplante*
poverty	*pobreza*
destitution	*indigencia, miseria*
famine	*hambre, hambruna*
starvation	*hambre, inanición*
unemployment	*desempleo, paro*
contraception	*contracepción*
abortion	*aborto*
euthanasia	*eutanasia*
violence	*violencia*
crime	*delincuencia, crimen*
criminality	*criminalidad*
attack	*atentado, ataque*
assault	*agresión, ataque, acoso*
murder	*asesinato, homicidio*
rape	*violación*
road accidents	*accidentes de circulación/tráfico*
rail/air disaster	*catástrofe ferroviaria/aérea*
casualty	*víctima (muertos o heridos)*
injured person	*herido(a)*
dead person	*muerto(a)*
sexism	*sexismo*
male chauvinist	*machismo*
feminism	*feminismo*
feminist	*feminista*

equal rights	*igualdad de derechos*
equality	*igualdad*
sexual harassment	*acoso sexual*
prostitution	*prostitución*
racism	*racismo*
Black (person)	*negro(a)*
foreigner	*extranjero*
immigrant	*inmigrante*
illegal immigrant	*inmigrante ilegal/sin papeles*
political refugee	*refugiado político*
refugee camp	*campo de refugiados*
political asylum	*asilo político*
asylum-seeker	*solicitante de asilo*
ethnic cleansing	*limpieza étnica*
dictatorship	*dictatura*
alcohol	*alcohol*
alcoholic	*alcohólico*
drugs	*drogas, estupefacientes*
drug abuse	*adicción a las drogas*
needle	*jeringuilla*
overdose	*sobredosis*
addict	*adicto*
addiction	*adicción, dependencia*
hashish	*hachís*
cocaine	*cocaína*
heroin	*heroína*
ecstasy	*éxtasis*
drug trafficking	*tráfico de drogas*
dealer	*traficante de drogas, (fam.) camello*

I agree/disagree with you
estoy de acuerdo/en desacuerdo contigo

what's your opinion on euthanasia?
¿qué opina de la eutanasia?

he's very interested in environmental issues
le interesan mucho los temas medioambientales

I am in favour of/against cloning
estoy a favor/en contra de la clonación

35 POLITICS La política

to govern	*gobernar*
to rule	*gobernar*
to reign	*reinar*
to organize	*organizar*
to demonstrate	*manifestarse*
to go to the polls	*acudir a las urnas*
to elect	*elegir*
to vote for/against	*votar por, a favor/en contra*
to repress	*reprimir*
to abolish	*abolir*
to impose	*imponer*
to nationalize	*nacionalizar*
to privatize	*privatizar*
national	*nacional*
nationalist	*nacionalista*
international	*internacional*
political	*política*
democracy	*democracia*
democratic	*democrático*
Democrat	*demócrata*
Conservative	*conservador*
Liberal	*liberal*
Labour	*laborista*
Socialist	*socialista*
Communist	*comunista*
Marxist	*marxista*
fascist	*fascista*
anarchist	*anarquista*
capitalist	*capitalista*
extremist	*extremista*
green	*verde, ecologista*
nation	*nación*
country	*país*
state	*Estado*
republic	*república*
monarchy	*monarquía*

Parliament	*Parlamento*
House of Lords *(Brit.)*	*Cámara de los lores*
House of Commons *(Brit.)*	*Cámara de los comunes*
Congress *(U.S.)*	*Congreso*
Senate *(U.S.)*	*Senado*
House of Representatives *(U.S.)*	*Cámara de representantes*
government	*Gobierno*
Cabinet	*Consejo de Ministros*
Cabinet reshuffle	*cambio/crisis de Gobierno*
constitution	*Constitución*
Head of State	*jefe de Estado*
president	*presidente*
vice-president	*vicepresidente*
Prime Minister	*primer ministro*
minister *(Brit.)*	*ministro*
secretary *(U.S.)*	*ministro*
Chancellor of the Exchequer *(Brit.)*	*ministro de Economía/Finanzas*
Secretary of the Treasury *(U.S.)*	*ministro de Economía/Finanzas*
Lord Chancellor *(Brit.)*	*ministro de Justicia*
Attorney General *(U.S.)*	*ministro de Justicia*
Foreign Secretary *(Brit.)*	*ministro de Asuntos Exteriores*
Secretary of State *(U.S.)*	*ministro de Asuntos Exteriores*
Home Secretary *(Brit.)*	*ministro del Interior*
Secretary of the Interior *(U.S.)*	*ministro del Interior*
MP (Member of Parliament) *(Brit.)*	*diputado (miembro del Parlamento)*
MEP (Member of the European Parliament) *(Brit.)*	*diputado del Parlamento europeo*
Congressman/Congresswoman *(U.S.)*	*congresista (miembro del Congreso de Estados Unidos)*
Representative *(U.S.)*	*diputado*
Senator *(U.S.)*	*senador*
politician	*político (profesional)*
politics	*política*
elections	*elecciones*
(political) party	*partido (político)*
right (wing)	*derecha*
left (wing)	*izquierda*
right-wing/left-wing party	*partido de derechas/izquierdas*
vote	*voto*
referendum	*referéndum*
voter	*votante, elector*
elector	*votante, elector*
right to vote	*derecho de voto*
constituency *(Brit.)*	*circunscripción (electoral)*

by-election *(Brit.)*	*elección excepcional y parcial (en una circunscripción) para elegir a un parlamentario para un escaño que ha quedado vacante por fallecimiento o dimisión*
seat *(Brit.)*	*escaño*
primary *(U.S.)*	*(elección) primaria*
ballot box	*urna*
candidate	*candidato*
election campaign	*campaña electoral*
first/second ballot	*primera/segunda vuelta*
opinion poll	*sondeo de opinión*
citizen	*ciudadano*
negotiations	*negociaciones*
debate	*debate*
law	*ley*
crisis	*crisis*
demonstration	*manifestación*
coup	*golpe de Estado*
revolution	*revolución*
human rights	*derechos humanos*
dictatorship	*dictadura*
ideology	*ideología*
democracy	*democracia*
socialism	*socialismo*
communism	*comunismo*
fascism	*fascismo*
capitalism	*capitalismo*
pacifism	*pacifismo*
neutrality	*neutralidad/no alineación*
unity	*unidad, unión*
freedom	*libertad*
public opinion	*opinión pública*
nobility	*nobleza*
aristocracy	*aristocracia*
middle classes	*clase media*
working class	*clase obrera*
upper class	*clase alta*
the people	*el pueblo*
king	*rey*
queen	*reina*
prince	*príncipe*
princess	*princesa*

UN	*ONU*
United Nations	*(Organización de las) Naciones Unidas*
NATO	*OTAN*
EU	*UE*
European Union	*Unión Europea*
Single Market	*mercado único*

---

the President will address ø the nation today
el presidente se dirigirá a la nación hoy

Turkey has applied to join the EU
Turquía ha presentado su candidatura de integración en la UE

there will be a referendum on whether to join the Single Currency
habrá un referéndum sobre la adhesión a la moneda única

the government decided to hold a referendum
el Gobierno ha decidido convocar un referéndum

the Labour Party gained five seats in the election
el Partido Laborista ha obtenido cinco escaños en las elecciones

the Prime Minister is on an official visit to Canada
el primer ministro está de visita oficial en Canadá

Nota:

★ Politics, como la mayoría de los nombres acabados en -ics, son incontables cuando se trata del concepto:

politics has never attracted her
nunca le ha interesado la política

Pero se opta por un verbo en plural cuando el nombre que acaba en -ics se utiliza en un sentido concreto:

what are your politics?
¿cuáles son sus opiniones políticas?

36 COMMUNICATING
CONVERSAR Y COMUNICARSE

to say	*decir*
to tell	*decir, contar*
to talk	*hablar*
to speak	*hablar*
to repeat	*repetir*
to add	*añadir*
to declare	*declarar*
to state	*declarar, afirmar*
to make a statement	*hacer una declaración*
to announce	*anunciar*
to express	*expresar*
to insist	*insistir*
to claim	*reclamar*
to suppose	*suponer*
to doubt	*dudar*
to converse with	*conversar/hablar con*
to inform	*informar*
to indicate	*indicar*
to mention	*mencionar*
to promise	*prometer*
to shout	*gritar*
to yell	*chillar, gritar*
to shriek	*chillar*
to whisper	*susurrar*
to murmur	*murmurar*
to mumble	*farfullar*
to stammer	*balbucear, tartamudear*
to get worked up	*enervarse, ponerse nervioso*
to reply	*responder*
to retort	*replicar, contestar*
to argue	*argumentar, discutir*
to persuade	*persuadir*
to convince	*convencer*
to influence	*influir, influenciar*
to approve (of)	*aprobar, tener buena opinión (de)*
to contradict	*contradecir*
to contest	*rebatir, refutar*
to object	*objetar*
to refute	*refutar, rebatir*
to exaggerate	*exagerar*

to emphasize	*enfatizar, poner el acento en*
to predict	*predecir*
to confirm	*confirmar*
to apologize	*excusarse, disculparse*
to pretend	*pretender, fingir, aparentar*
to deceive	*burlar, engañar*
to flatter	*halagar*
to criticize	*criticar*
to slander	*calumniar*
to deny	*negar*
to admit	*admitir, reconocer*
to confess	*confesar, admitir*
to recognize	*reconocer, admitir*
convinced	*convencido*
convincing	*convincente*
conversation	*conversación*
discussion	*discusión, debate*
dialogue	*diálogo*
interview	*entrevista, conversación*
monologue	*monólogo*
speech	*discurso*
lecture	*conferencia, charla*
debate	*debate*
conference	*conferencia, congreso*
statement	*declaración*
word	*palabra, rumor*
gossip	*cotilleo*
opinion	*opinión*
point of view	*punto de vista*
argument	*argumento, discusión*
misunderstanding	*malentendido*
agreement	*acuerdo*
disagreement	*desacuerdo*
allusion	*alusión, mención*
hint	*insinuación, alusión*
criticism	*crítica*
objection	*objeción*
confession	*confesión, admisión*
microphone	*micrófono*
megaphone	*megáfono*
about	*acerca de*
frankly	*francamente*
generally	*generalmente*
naturally	*naturalmente*

of course	*por supuesto*
absolutely	*rotundamente, por supuesto*
really	*verdaderamente, realmente*
entirely	*completamente, enteramente*
undoubtedly	*sin duda*
maybe	*quizá, tal vez*
but	*pero*
however	*no obstante, sin embargo*
or	*o*
and	*y*
because	*porque*
therefore	*por tanto*
thanks to	*gracias a*
in case of	*en caso de*
despite	*a pesar de*
except	*excepto, salvo*
without	*sin*
with	*con*
almost	*casi*

---

they got angry during the discussion – did they?
perdieron los nervios durante el debate —¿de verdad?

his argument is really convincing, isn't it?/don't you think?
su argumentación es verdaderamente convincente, ¿no es cierto?/¿no crees?

let's just agree to disagree
aceptemos que no tenemos la misma opinión

she argued for/against raising taxes
argumentó a favor/en contra de incrementar los impuestos

I don't approve of his ideas
no apruebo sus ideas

Nota:

★ Atención a la hora de utilizar to say y to tell para traducir
el verbo «decir». Lo que se dice es el complemento directo de to say.
Se puede añadir un complemento indirecto («a quien») introducido
por la preposición to, después de un nombre o grupo nominal:

he said goodbye and left	he said thank you to me
dijo adiós y se fue	*me dio las gracias*

Pero, en general, el uso del complemento indirecto no es necesario
cuando se trata de una frase subordinada:

he said (that) he could do it
dijo que podía hacerlo

To tell va seguido de dos complementos directos en inglés:
el primero indica la persona a quien va dirigido lo que se dice
o dijo y el segundo alude a lo que se dice. Al contrario que to say,
to tell no puede utilizarse sin la persona a quien se dirige el sujeto
de la oración.

he told me a joke	he told them
me contó un chiste	*se lo dijo (a ellos)*

he told him (that) he could do it
le dijo que podía hacerlo

Véanse también los capítulos:

37 LETTER-WRITING
LA CORRESPONDENCIA

to write	*escribir*
to scribble	*garabatear*
to jot down	*anotar, apuntar*
to describe	*describir*
to type	*escribir a máquina, mecanografiar*
to sign	*firmar*
to send	*enviar*
to dispatch	*despachar, expedir*
to seal	*sellar*
to put a stamp on	*poner un sello en*
to frank	*franquear*
to weigh	*pesar*
to mail	*enviar por correo*
to post *(Brit.)*	*enviar por correo*
to send back	*devolver, mandar de vuelta*
to forward	*enviar, remitir*
to contain	*contener*
to correspond with	*mantener correspondencia con*
to receive	*recibir*
to reply	*responder*
legible	*legible*
illegible	*ilegible*
by airmail	*por correo aéreo*
by courier	*por mensajero*
by express post	*por correo urgente*
by registered mail o *(Brit.)* post	*certificado*
enc. (enclosures)	*(documentos) adjuntos*
letter	*carta*
mail	*correo*
post *(Brit.)*	*correo*
writing paper	*papel de carta*
date	*fecha*
signature	*firma*
envelope	*sobre*
address	*dirección*
addressee	*destinatario*
sender	*remitente*

postcode *(Brit.)*	*código postal*
zip code *(U.S.)*	*código postal*
stamp	*sello, timbre*
letterbox *(Brit.)*	*buzón*
postbox *(Brit.)*	*buzón*
mailbox *(U.S.)*	*buzón*
collection	*recogida de correos*
post office	*oficina de correos*
counter	*ventanilla*
postage	*tarifa postal*
first class	*correo urgente*
second class	*correo ordinario*
letter scales o *(U.S.)* scale	*pesacartas*
franking machine	*máquina de franqueo*
poste restante	*lista de correos*
parcel	*paquete*
telegram	*telegrama*
fax	*fax*
postcard	*tarjeta postal*
acknowledgement of receipt	*acuse de recibo*
form	*formulario*
postal order *(Brit.)*	*giro postal*
money order *(U.S.)*	*giro postal*
contents	*contenido*
postman/postwoman *(Brit.)*	*cartero(a)*
mailman/mailwoman *(U.S.)*	*cartero(a)*
penfriend	*amigo por correspondencia*
handwriting	*manuscrito*
draft	*borrador*
pen	*bolígrafo, pluma*
ballpoint (pen)	*bolígrafo*
Biro® *(Brit.)*	*bolígrafo*
fountain pen	*pluma estilográfica*
pencil	*lápiz*
typewriter	*máquina de escribir*
word processor	*procesador de textos*
e-mail	*e-mail, correo electrónico*
note	*nota*
text	*texto*
paragraph	*párrafo*
sentence	*frase*
line	*línea*
word	*palabra*
style	*estilo*
continuation	*continuación*
quotation	*cita*

title	*título*
margin	*margen*
birthday card	*tarjeta de cumpleaños/aniversario*
announcement	*aviso de boda, nacimiento o defunción*
love letter	*carta de amor*
thank-you letter	*carta de agradecimiento*
complaint	*reclamación, queja*

Dear Sir/Madam
apreciado señor/señora

Dear Paul/Caroline
querido/a Paul/Caroline

Please find enclosed...
envío adjunto...

«please forward»
por favor, reenvíen

Yours faithfully/sincerely *(Brit.)*
le saluda atentamente/cordialmente

Kind regards
saludos cordiales

Love
con cariño

Lots of love
muchos besos

give my love to Gordon
besos para Gordon

I'd like three 27 pence stamps *(Brit.)*
quisiera tres sellos de 27 peniques

if I get any mail, could you forward it to me?
si recibo correo, ¿podrías reenviármelo?

he wrote the address on the envelope in pencil
escribió la dirección en el sobre a lápiz

Nota:

★ En inglés británico, cuando el encabezamiento de una carta es
Dear Sir/Dear Madam/Dear Sir or Madam, ésta debe finalizar con
la fórmula de cortesía Yours faithfully. Pero cuando se indica el
nombre de la persona (Dear Mr Jones/Dear Mrs Martin, etc.) debe
finalizar con la fórmula de cortesía Yours sincerely.

En inglés americano se utilizará Yours sincerely en ambos casos.

En un registro de lengua menos elevado, una carta se puede acabar
con Best wishes/Best regards/Regards, etc. en inglés británico y,
sencillamente, con Best, en inglés americano.

38 THE PHONE
EL TELÉFONO

to call	*llamar, telefonear*
to phone	*telefonear*
to ring *(Brit.)*	*telefonear, sonar (el teléfono)*
to make a phone call	*hacer una llamada telefónica*
to lift the receiver	*descolgar*
to pick up the phone	*descolgar*
to dial	*marcar*
to dial a wrong number	*equivocarse de número*
to hang up	*colgar*
to call back	*devolver la llamada*
to answer	*responder*
to send a text message (to)	*enviar un SMS (a)*
to text	*enviar un SMS a*
(tele)phone	*teléfono*
cordless (tele)phone	*teléfono inalámbrico*
line	*línea*
landline	*línea fija*
receiver	*receptor*
handset	*aparato (telefónico)*
earpiece	*auricular*
dialling tone *(Brit.)*	*tono de marcación, señal (de línea)*
dial tone *(U.S.)*	*tono de marcación, señal (de línea)*
tone	*tono (de llamada)*
ringtone	*timbre, sonido/tono de llamada*
dial	*disco/teclado de marcación*
hash/star key	*tecla de almohadilla/asterisco*
telephone directory	*agenda telefónica*
phone book	*guía telefónica*
Yellow Pages®	*Páginas Amarillas®*
phone booth *(U.S.)*	*cabina telefónica*
phone box *(Brit.)*	*cabina telefónica, locutorio*
payphone	*teléfono público*
phonecard	*tarjeta telefónica*
top-up card	*recarga (para teléfono móvil)*
reverse-charge call *(Brit.)*	*llamada a cobro revertido*
collect call *(U.S.)*	*llamada a cobro revertido*
long-distance call	*llamada de larga distancia*
local/national/international call	*llamada interurbana/nacional/ internacional*

dialling code *(Brit.)*	*indicativo (código)*
dial code *(U.S.)*	*indicativo (código)*
speed dial	*marcación rápida*
number	*número*
wrong number	*número equivocado*
(directory) enquiries *(Brit.)*	*servicios de información*
information *(U.S.)*	*información (telefónica)*
directory assistance *(U.S.)*	*información (telefónica)*
emergency	*urgencias*
operator	*operadora*
answering machine	*contestador automático*
message	*mensaje*
mobile (phone) *(Brit.)*	*teléfono móvil, celular*
cellphone *(U.S.)*, cell *(U.S., fam.)*	*teléfono móvil, celular*
text message	*mensaje de texto, SMS*
engaged *(Brit.)*	*ocupado*
busy *(U.S.)*	*ocupado*
out of order	*fuera de cobertura, apagado, sin línea*

---

he phoned ø his mother
telefoneó a su madre

the phone's ringing
el teléfono está sonando

who's speaking?
¿quién llama?

hello, this is Peter speaking
hola, Peter al aparato

I'd like to speak to Martin
quisiera hablar con Martin

speaking
yo mismo

it's engaged *(Brit.)*, the line's busy *(U.S.)*
la línea está ocupada

hold on
no cuelgue, un momento

did you get my message?
¿has recibido mi mensaje?

there's no answer
no responden

we got cut off
se ha cortado la comunicación

I'm sorry, he's not in
lo siento, no está aquí

who's calling?
¿quién llama?

would you like to leave a message?
¿quiere dejarle un mensaje?

I'll just hand you over to him
se lo paso

I can't get a signal here
no hay señal

please leave a message after the tone
por favor, deje un mensaje después de oír la señal

sorry, I've got the wrong number
disculpe, me he equivocado de número

where can I reach you during the day?
¿dónde te puedo encontrar durante el día?

I can't get through to his office
no consigo comunicar con su oficina

my number is two two four nine one six
mi número es dos, dos, cuatro, nueve, uno, seis

I'd like to make a *(Brit.)* reverse-charge call o *(U.S.)* collect call
quisiera hacer una llamada a cobro revertido

you should call ø *(Brit.)* directory enquiries o *(U.S.)* ø information
tendría que llamar a información telefónica

Nota:

★ Los números de teléfono en inglés se leen cifra a cifra:

1567 = one five six seven

40032 = four zero zero three two
four double 'o' three two *(Brit.)*

★ En inglés británico la cifra «0» se pronuncia como la letra «o» aunque ahora ya se utiliza también **zero**.

★ Cuando hay dos cifras idénticas, en inglés británico se utiliza **double**. Sin embargo, no se trata de un uso sistemático, también se pueden repetir las dos cifras.

★ Por escrito, normalmente se agrupan las cifras en función de los diferentes códigos regionales. Oralmente, se hace una pausa después de cada grupo de cifras:

0141-221-5266 = 'o' one four one - double two one o two two one - five two double six o six six

39 COMPUTERS AND THE INTERNET
ORDENADORES E INTERNET

to click	*seleccionar, hacer clic*
to connect to the Internet	*conectarse a internet*
to copy	*copiar*
to cut	*cortar*
to delete	*borrar*
to download	*descargar*
to e-mail	*enviar por e-mail*
to get an e-mail	*recibir un e-mail*
to log on/off	*conectarse/desconectarse*
to paste	*pegar*
to print	*imprimir*
to save	*guardar*
to select	*seleccionar*
to send an e-mail	*enviar un e-mail*
to surf the Net	*navegar por internet*
on line	*en línea*
off line	*fuera de línea*
CD drive	*lector de CD*
CD-Rom	*CD-Rom*
computer	*ordenador*
cursor	*cursor*
disk	*disco, disquete*
disk drive	*lector de disquetes*
DVD drive	*lector de DVD*
file	*archivo, fichero*
floppy (disk)	*disquete*
hard disk	*disco duro*
hardware	*hardware*
key	*tecla*
keyboard	*teclado*
laptop (computer)	*(ordenador) portátil*
modem	*módem*
monitor	*monitor, pantalla*
mouse	*ratón*
pointer	*puntero*
printer	*impresora*
program	*programa*

scanner	*escáner*
screen	*pantalla*
software	*software*
access provider	*proveedor de acceso (a internet)*
at sign (@)	*arroba*
browser	*navegador*
cybercafé	*cibercafé*
dot	*punto*
e-mail	*correo electrónico, e-mail*
e-mail account	*cuenta de correo electrónico*
e-mail address	*dirección de correo electrónico/e-mail*
home page	*página de inicio*
Inbox	*buzón de entrada*
the Internet	*internet*
Internet café	*cibercafé*
Internet surfer	*internauta*
Outbox	*buzón de salida*
password	*contraseña*
Trash	*papelera*
underscore	*subrayado*
Web page	*página web*
Web site	*sitio web*
the (WorldWide) Web	*la web/red*

---

select Print from the File menu
seleccione Imprimir en el menú Archivo

I need to go to the Internet café to check my mail
tengo que ir al cibercafé para consultar elcorreo electrónico/mail

I'd like to open an e-mail account
quiero abrirme una cuenta de correo electrónico

how do I get online?
¿cómo me conecto?

there's something wrong with my computer, it's frozen
le pasa algo al ordenador, está bloqueado/colgado

---

40 GREETINGS AND POLITE PHRASES
SALUDOS Y FÓRMULAS SOCIALES

to greet	*saludar*
to introduce	*presentar*
to express	*expresar, manifestar*
to thank	*agradecer*
to wish	*desear*
to congratulate	*felicitar*
to apologize	*disculparse, excusarse*
hello	*hola*
good morning	*buenos días (por la mañana)*
good afternoon	*buenos días, buenas tardes (después del mediodía)*
hi!	*¡hola!*
bye!	*¡adiós!*
cheerio! *(Brit., fam.)*	*¡adiós!*
goodbye	*¡adiós!*
good evening	*buenas tardes, buenas noches*
good night	*buenas noches (al final de la noche)*
pleased to meet you	*encantado de conocerle*
how are you?	*¿cómo estás?*
how are things?	*¿cómo van las cosas?*
see you soon	*nos vemos/hasta pronto*
see you later	*hasta luego*
see you tomorrow	*hasta mañana*
see you	*nos vemos*
have a good day!	*¡que tengas un buen día!*
have a good time!	*¡que lo pases bien!*
enjoy your meal!	*¡buen provecho!*
good luck!	*¡buena suerte!*
have a good trip!	*¡buen viaje!*
safe journey!	*¡buen viaje!*
welcome!	*¡bienvenido!*
sorry	*perdón*
excuse me	*disculpe (para atraer la atención)*
watch out!	*¡cuidado!*
yes	*sí*

no	*no*
no, thanks	*no, gracias*
yes, please	*sí, por favor*
please	*por favor*
thank you, thanks	*gracias*
thank you very much	*muchas gracias*
you're welcome	*de nada, no hay de qué*
not at all	*de nada*
don't mention it	*de nada*
cheers!	*¡salud! (brindis)*
bless you!	*¡salud!, ¡Jesús! (ante un estornudo)*
OK	*de acuerdo*
so much the better	*tanto mejor*
too bad	*qué mal*
never mind	*no importa*

festivities festividades

Merry Christmas!	*¡feliz Navidad!*
Happy New Year!	*¡feliz Año Nuevo!*
Best Wishes!	*¡con los mejores deseos!*
Happy Easter!	*¡felices Pascuas!*
Happy Birthday!	*¡feliz cumpleaños!*
Congratulations!	*¡felicidades!*

---

may I introduce Angela Barker?
les presento a Angela Barker

please accept my best wishes/my sympathy
con mis mejores deseos/le acompaño en el sentimiento

I hope you have a very happy birthday
espero que tengas un feliz cumpleaños

I'm terribly sorry
lo siento mucho

I'm sorry to bother you
perdone que le moleste

excuse me please, could you tell me...?
disculpe, por favor, ¿podría decirme...?

do you mind if I smoke?
¿le importa si fumo?

I don't mind
no me importa

it's a pleasure/you're welcome
es un placer/de nada

---

41 GOING ON HOLIDAY
IR DE VACACIONES

to go on *(Brit.)* holiday o *(U.S.)* vacation	*irse de vacaciones*
to reserve	*reservar*
to book	*reservar*
to rent	*alquilar*
to confirm	*confirmar*
to cancel	*anular, cancelar*
to get information (about)	*informarse (sobre)*
to pack	*hacer el equipaje*
to pack one's suitcase	*hacer la maleta*
to make (out) a list	*hacer un listado*
to take	*llevar*
to forget	*olvidar*
to leave behind	*olvidar, dejarse*
to take out insurance	*contratar un seguro*
to renew one's passport	*renovar el pasaporte*
to get vaccinated	*vacunarse*
to visit	*visitar*
to travel	*viajar*
to be interested in	*estar interesado en*
to search	*registrar (el equipaje)*
to declare	*declarar*
to smuggle	*pasar de contrabando*
to check	*controlar, comprobar*
on holiday *(Brit.)*	*de vacaciones*
on vacation *(U.S.)*	*de vacaciones*

planning a holiday
preparativos para las vacaciones

travel agent's o agency	*agencia de viajes*
tourist information centre o *(U.S.)* center	*oficina de turismo*
brochure	*folleto*
leaflet	*folleto*
timetable	*horarios*
package tour o holiday	*viaje organizado*

school trip	*viaje escolar*
guidebook	*guía (libro)*
phrasebook	*guía de conversación*
map	*plano, mapa*
itinerary	*itinerario, programa*
booking	*reserva*
deposit	*depósito, paga y señal*
list	*lista*
luggage	*equipaje*
baggage	*equipaje*
suitcase	*maleta*
travel bag	*bolsa de viaje*
holdall *(Brit.)*	*bolsa de viaje*
carryall *(U.S.)*	*bolsa de viaje*
backpack	*mochila*
rucksack *(Brit.)*	*mochila*
toilet bag	*neceser*
label	*etiqueta (de idenficación)*
traveller's cheques, *(U.S.)* traveler's checks	*cheques de viaje*
travel insurance	*seguro de viaje*
in advance	*por adelantado*

tourism el turismo

tourist	*turista*
foreigner	*extranjero*
attractions	*atracciones*
places of interest	*lugares de interés*
specialities	*especialidades*
crafts	*productos de artesanía*
(tour) guide	*guía turístico (persona)*
visit	*visita*
guided tour	*visita guiada*
journey	*viaje, recorrido*
excursion	*excursión*
coach trip *(Brit.)*	*excursión en autocar*
group	*grupo*
stay	*estancia*
hospitality	*hospitalidad*
consulate	*consulado*
embassy	*embajada*

at customs en la aduana

customs	*aduana*
customs officer	*aduanero*
border	*frontera*
passport	*pasaporte*
visa	*visado*
ticket	*billete*

---

do you have a timetable, please?
¿tiene un horario?

I'd like to book a ticket to London
querría reservar un billete para londres

should we confirm our booking in writing?
¿tenemos que confirmar la reserva por escrito?

I'm really looking forward to going on holiday
espero con impaciencia el momento de irme de vacaciones

«don't forget to tip your guide»
«no olvide dar propina al guía»

we need to go through customs   nothing to declare
tenemos que pasar la aduana   *nada que declarar*

Nota:

★ Luggage y baggage son dos ejemplos más de nombres incontables:

my luggage hasn't arrived   a piece of hand luggage
mi equipaje no ha llegado   *una bolsa/un bolso de mano*

★ Customs *(aduana)* es un nombre plural e irá seguido de un verbo en plural.

Véanse también los capítulos:

42 RAILWAYS
FERROCARRILES

to reserve	*reservar*
to book	*reservar*
to change	*cambiar*
to punch	*validar (un billete)*
to get off	*bajar de (medio de transporte)*
to get on/in	*subir a/en (medio de transporte)*
to be late	*llevar retraso*
to be derailed	*descarrilar*
on time	*puntual*
late	*retrasado*
reserved	*reservado*
taken	*ocupado (plaza)*
engaged *(Brit.)*	*ocupado (baño)*
occupied *(U.S.)*	*ocupado (baño)*
free	*libre*
smoker	*fumadores (compartimento)*
non-smoker	*no fumadores (compartimento)*

the station la estación

railway *(Brit.)*	*ferrocarril*
railroad *(U.S.)*	*ferrocarril*
ticket office	*ventanilla de venta de billetes, taquilla*
ticket machine	*expendedor automático de billetes*
information	*información*
indicator board	*panel informativo/de información*
arrivals/departures board	*panel de llegadas/salidas*
waiting room	*sala de espera*
station buffet	*bar/restaurante de la estación*
luggage	*equipaje*
left-luggage (office) *(Brit.)*	*consigna*
checkroom *(U.S.)*	*consigna*
lockers	*consigna automática*
left-luggage lockers *(Brit.)*	*consigna automática*
(luggage) trolley	*carrito portaequipajes*
lost property office *(Brit.)*	*oficina de objetos perdidos*
lost-and-found (office) *(U.S.)*	*oficina de objetos perdidos*
station manager	*jefe de estación*

station master	*jefe de estación (estación pequeña)*
guard *(Brit.)*	*jefe de tren*
conductor *(U.S.)*	*cobrador, revisor*
ticket inspector	*revisor*
railwayman *(Brit.)*	*ferroviario*
railroad man *(U.S.)*	*ferroviario*
passenger	*viajero, pasajero*

 the train **el tren**

freight train	*tren de mercancías*
direct train	*tren directo*
through train	*tren directo*
express train	*tren expreso*
fast train	*tren rápido*
intercity train *(Brit.)*	*tren rápido, tren de grandes líneas*
Motorail train *(Brit.)*	*coche cama*
electric train	*tren eléctrico*
diesel train	*tren diésel*
Trans-Europe-Express train	*red internacional de trenes Intercity*
high-speed train	*tren de alta velocidad*
Eurostar	*Eurostar*
locomotive	*locomotora*
engine	*locomotora*
steam engine	*locomotora a vapor*
dining car	*vagón/coche restaurante*
buffet car	*vagón/coche restaurante*
trolley	*carro, carrito*
coach	*vagón, coche*
carriage *(Brit.)*	*vagón, coche*
car *(U.S.)*	*vagón, coche*
sleeper	*coche cama*
front of the train	*cabeza de tren*
rear of the train	*cola de tren*
luggage van *(Brit.)*	*vagón de equipajes*
baggage car *(U.S.)*	*vagón de equipajes*
compartment	*compartimento*
couchette	*litera*
toilets *(Brit.)*	*aseos*
restroom *(U.S.)*	*aseos*
door	*puerta*
window	*ventana*
seat	*asiento*
(luggage) rack	*portaequipajes*

alarm	*alarma*
communication cord	*alarma*

the journey el trayecto

platform	*andén*
tracks	*raíles*
track	*vía (férrea)*
line	*línea*
network	*red (de ferrocarriles)*
level crossing *(Brit.)*	*paso a nivel*
grade crossing *(U.S.)*	*paso a nivel*
tunnel	*túnel*
Channel Tunnel	*túnel del Canal de la Mancha*
stop	*parada*
arrival	*llegada*
departure	*salida*
connection	*correspondencia*

tickets los billetes

half(-price ticket)	*billete a mitad de precio*
reduced rate	*tarifa reducida*
adult	*adulto*
single (ticket) *(Brit.)*	*billete de ida*
one-way (ticket) *(U.S.)*	*billete de ida*
return (ticket) *(Brit.)*	*billete de ida y vuelta*
round-trip (ticket) *(U.S.)*	*billete de ida y vuelta*
day return *(Brit.)*	*billete de validez por un día*
season ticket *(Brit.)*	*abono (por periodos)*
peak	*hora punta*
off-peak	*hora valle*
class	*clase*
first class	*primera clase*
standard class	*clase turista*
railcard *(Brit.)*	*carné de los ferrocarriles (para obtener descuentos)*
reservation	*reserva*
timetable	*horarios*
public holidays	*días festivos oficiales*
weekdays	*días laborables*

I went to Paris by train/I took the train to Paris
fui a París en tren/tomé el tren a París

a single/return to York, please
un billete de ida/ida y vuelta para York, por favor

when is the next/last train for Edinburgh?
¿cuándo sale el próximo/último tren para Edimburgo?

the train is running on time
el tren no lleva retraso

they arrived at the station just in time
llegaron a la estación con puntualidad

the train (arriving) from London is twenty minutes late
el tren procedente de Londres lleva veinte minutos de retraso

the train to Glasgow
el tren con destino Glasgow

the Birmingham train
el tren de Birmingham

do I have to change ø trains?
¿tengo que hacer transbordo?

change at Crewe
hay que hacer transbordo en Crewe

this train calls at...
este tren para en las estaciones de...

I'm on the train
estoy en el tren

we'll have to run to catch the connection
tendremos que darnos prisa para coger la conexión

is this seat taken?
¿está ocupado este asiento?

«tickets please»
«billetes, por favor»

she took me to the station
me llevó a la estación

I nearly missed my train
casi pierdo el tren

he came and picked me up at the station
vino a buscarme/recogerme a la estación

43 FLYING El avión

to check in	*facturar (el equipaje)*
to take off	*despegar*
to fly	*volar*
to land	*aterrizar*
to stop over at	*hacer una escala en*
to board	*embarcar*
to search	*registrar (el equipaje)*

at the airport en el aeropuerto

runway	*pista*
(air) terminal	*terminal (del aeropuerto)*
airline	*compañía aérea*
information	*información*
check-in	*facturación (de equipaje)*
hand luggage	*equipaje de mano*
duty-free shop	*tiendas duty-free/libres de impuestos*
boarding	*embarque*
departure lounge	*sala de embarque*
gate	*puerta*
passport control	*control de pasaportes*
X-ray machine	*máquina de rayos X*
boarding pass o card	*tarjeta de embarque*
baggage reclaim	*recogida de equipajes*

on board a bordo

plane	*avión*
supersonic plane	*avión supersónico*
jet	*jet, reactor*
jumbo jet	*jumbo jet*
charter flight	*(vuelo) chárter*
charter plane	*(avión) chárter*
aircraft	*avión, aeroplano*
engine	*motor*
nose	*morro*
tail	*cola*
wing	*ala*
propeller	*hélice*

window	ventanilla
seat belt	cinturón de seguridad
emergency exit	salida de emergencia
seat	asiento, plaza
flight	vuelo
direct flight	vuelo directo
domestic flight	vuelo nacional/interior
international flight	vuelo internacional
altitude	altitud
speed	velocidad
departure	salida
take-off	despegue
arrival	llegada
landing	aterrizaje
emergency landing	aterrizaje forzoso/de emergencia
stopover	escala
delay	retraso
(cabin) crew	tripulación (de a bordo)
pilot	piloto
co-pilot	copiloto
stewardess	azafata, auxiliar de vuelo (mujer)
steward	auxiliar de vuelo (hombre)
passenger	pasajero
hijacker	secuestrador
cancelled	cancelado, anulado
delayed	retrasado

would you like a window seat or an aisle seat?
¿prefiere un asiento de ventanilla o de pasillo?

what time does boarding start?
¿a qué hora es el embarque?

«now boarding at gate number 17»
«embarcando por la puerta número 17»

«fasten your seat belt»
«abróchense los cinturones»

I've left something on the plane
he olvidado algo en el avión

I'd like to report the loss of my luggage
quisiera reclamar la pérdida de mi equipaje

your luggage is fifteen kilos overweight
su equipaje tiene quince kilos de exceso de peso

Nota:

★ La palabra singular crew *(tripulación)* se utiliza a menudo como nombre colectivo: puede estar acompañada de un verbo en singular (para hacer hincapié en la tripulación en conjunto) o de un verbo en plural (para destacar a los miembros que forman la tripulación):

the crew is excellent
la tripulación es excelente

the crew have all enjoyed themselves
toda la tripulación se ha divertido

44 PUBLIC TRANSPORT
TRANSPORTE PÚBLICO

to get off	*bajar*
to get on	*subir*
to wait (for)	*esperar*
to arrive	*llegar*
to change	*cambiar, conectar*
to stop	*parar*
to hurry	*darse prisa*
to miss	*perder*
to produce one's ticket	*presentar, mostrar el billete*
bus	*autobús*
double-decker *(Brit.)*	*autobús de dos pisos*
coach *(Brit.)*	*autocar, autobús*
underground *(Brit.)*	*metro, suburbano*
subway *(U.S.)*	*metro, suburbano*
tube *(Brit.)*	*metro (de Londres)*
train	*tren*
local train	*tren de cercanías*
tram *(Brit.)*	*tranvía*
streetcar *(U.S.)*	*tranvía*
shuttle	*lanzadera, transporte de enlace*
taxi	*taxi*
cab	*taxi*
driver	*conductor*
ticket inspector	*revisor*
passenger	*pasajero*
fare dodger *(Brit., fam.)*	*polizón, persona que se cuela*
fare beater *(U.S., fam.)*	*polizón, persona que se cuela*
commuter	*persona que realiza un trayecto diario para ir al trabajo (de la periferia al centro de la ciudad)*
bus station	*estación de autobuses*
underground o tube station *(Brit.)*	*estación de metro/suburbano*
subway station *(U.S.)*	*estación de metro/suburbano*
taxi rank *(Brit.)*	*parada de taxis*
bus shelter	*parada de autobús cubierta*
bus stop	*parada de autobús*
booking office	*ventanilla, taquilla*

ticket machine	*expendedor automático de billetes*
waiting room	*sala de espera*
exit	*salida*
network	*red (de transporte)*
line	*línea*
platform	*andén*
departure	*salida*
direction	*dirección*
arrival	*llegada*
back	*parte trasera*
front	*parte delantera*
seat	*plaza, asiento*
ticket	*billete*
fare	*precio de los billetes*
book of tickets	*tarjeta multiviaje*
season ticket	*abono*
adult	*adulto*
child	*niños*
first class	*primera clase*
standard class	*clase turista*
reduction	*reducción, descuento*
concession	*tarifa reducida*
excess fare	*suplemento*
peak	*hora punta*
off-peak	*hora valle*
rush hour	*hora punta*

I get the bus to school
cojo el autobús para ir a la escuela

I'm on the bus
estoy en el autobús

get on the bus!
¡sube al autobús!

two stops from here
a dos paradas de aquí

where can I get a bus to...?
¿dónde puedo tomar un autobus para...?

where is the nearest *(Brit.)* underground o *(U.S.)* subway station?
¿dónde está la estación de metro más cercana?

Véase también el capítulo:

42   FERROCARRILES

45 Hotels and Youth Hostels Hoteles y Albergues Juveniles

to check in	*registrarse en la recepción*
to check out	*dejar libre la habitación, pagar y marcharse del hotel*
to pay one's bill *(Brit.)*	*pagar la factura*
to order room service	*llamar al servicio de habitaciones*
vacancies	*habitaciones libres*
no vacancies	*completo*
closed	*cerrado*
hotel	*hotel*
guesthouse	*pensión, casa de huéspedes*
bed and breakfast, *(fam.)* B&B	*pensión económica de cama y desayuno*
booking	*reserva*
reception	*recepción*
full board	*pensión completa*
half board	*media pensión*
price per person per night (pppn)	*precio por persona y por noche*
breakfast included	*desayuno incluido*
all inclusive	*todo incluido*
service	*servicio*
tip	*propina*
bill *(Brit.)*	*factura*
check *(U.S.)*	*factura*
complaint	*reclamación*
restaurant	*restaurante*
dining room	*comedor*
(residents') lounge	*salón*
bar	*bar*
fitness centre *(Brit.)*	*gimnasio, sala de fitness*
swimming pool	*piscina*
sauna	*sauna*
conference facilities	*sala de conferencias*
car park *(Brit.)*	*aparcamiento*
parking lot *(U.S.)*	*aparcamiento*
lift *(Brit.)*	*ascensor*
elevator *(U.S.)*	*ascensor*

breakfast	*desayuno*
continental breakfast	*desayuno continental*
full English/Scottish/American breakfast	*desayuno inglés/escocés/americano*
lunch	*almuerzo, comida*
dinner	*cena*
evening meal	*cena ligera*
room service	*servicio de habitaciones*
wake-up call	*llamada para despertarse por la mañana*
manager	*director*
receptionist	*recepcionista*
night porter	*portero de noche*
chambermaid	*sirvienta, camarera (servicio de habitaciones)*
porter *(Brit.)*	*portero, conserje*
bellboy *(U.S.)*	*botones*
bellhop *(U.S.)*	*botones*

the room la habitación

key	*llave*
keycard	*tarjeta llave*
room with en suite bathroom	*habitación con baño*
single room	*habitación individual*
double room	*habitación doble*
twin room	*habitación con dos camas*
family room	*habitación familiar*
bed	*cama*
double bed	*cama doble/de matrimonio*
single bed	*cama individual*
twin beds	*camas gemelas*
bathroom	*cuarto de baño*
shower	*ducha*
washbasin *(Brit.)*	*lavabo*
washbowl *(U.S.)*	*lavabo*
hot water	*agua caliente*
toilet *(Brit.)*	*aseo*
mini-bar	*minibar*
safety deposit box	*caja de seguridad*
satellite/cable TV	*televisión par cable/satélite*
air conditioning	*aire acondicionado*
emergency exit	*salida de emergencia*
fire escape	*escalera de emergencia*
balcony	*balcón*
view	*vistas*

youth hostel albergue juvenil

backpacker	*mochilero*
dormitory	*dormitorio (para grupos)*
canteen	*comedor*
games room	*sala de juegos*
membership card	*tarjeta de miembro*
duty	*deberes, obligaciones*
backpack	*mochila*
rucksack *(Brit.)*	*mochila*
hitchhiking	*autoestop*

a two/three star hotel
un hotel de dos/tres estrellas

we're full
estamos completos

have you got any vacancies?
¿tienen habitaciones libres?

do you have any rooms available?
¿tienen alguna habitación disponible?

I'd like a single/double room
quisiera una habitación individual/doble (para dos personas)

a room overlooking the sea
una habitación que dé al mar

a room with an en suite bathroom
una habitación con baño

for how many nights?
¿para cuántas noches?

is breakfast included?
¿está incluido el desayuno?

I booked a room for two over the phone
he reservado una habitación para dos personas por teléfono

I'm in ø room number 7
estoy en la habitación número 7

the key for ø room 12, please
la llave de la habitación 12, por favor

could you please call me at seven a.m.?
por favor, ¿podría despertarme a las 7 de la mañana?

check-out time is midday
las habitaciones deben quedar libres a mediodía

could you make up my bill, please?
¿puede prepararme la factura, por favor?

can I leave my backpack at ø reception?
¿puedo dejar la mochila en recepción?

46 CAMPING Camping

to camp	*acampar*
to go camping	*hacer camping*
to go caravanning	*viajar (y acampar) en caravana*
to pitch the tent	*plantar la tienda*
to take down the tent	*desmontar la tienda*
to sleep out in the open	*dormir al aire libre/a cielo abierto/al raso*
to pay a deposit	*pagar un depósito*
camping	*camping (actividad)*
campsite	*camping (terreno), campamento*
campground *(U.S.)*	*camping (terreno), campamento*
camper	*campista*
tent	*tienda*
space	*parcela, emplazamiento*
air bed	*colchoneta inflable*
Lilo® *(Brit.)*	*colchoneta inflable*
fly sheet	*doble techo (de tienda)*
ground *(Brit.)* sheet o *(U.S.)* cloth	*suelo aislante (de tienda)*
peg	*estaca, clavo*
mallet	*mazo*
rope	*cuerda*
guy rope	*viento, cuerda de tienda*
fire	*fuego*
campfire	*hoguera de acampada/campamento*
camping stove	*hornillo de acampada, Camping-Gas®*
refill	*recarga*
stove	*hornillo*
billy (can), billycan *(Brit.)*	*cazo*
penknife	*navaja*
bucket	*cubo*
sleeping bag	*saco de dormir*
flashlight	*linterna*
torch *(Brit.)*	*linterna*
toilet block	*lavabos, váter*
toilets	*lavabos, váter*
showers	*duchas*
drinking water	*agua potable*
rubbish bin *(Brit.)*	*cubo de la basura*
garbage can *(U.S.)*	*cubo de la basura*
mosquito	*mosquito*
insect repellent	*repelente de insectos (producto)*

caravanning	caravaning, acampada en caravana
caravan site	camping de caravanas (terreno)
caravan (Brit.)	caravana
mobile home (Brit.)	caravana, casa rodante
chalet	bungalow
camper (van)	autocaravana
Dormobile® (Brit.)	autocaravana
motor home (U.S.)	autocaravana
trailer	remolque, (U.S.) caravana

may we camp here?
¿podemos acampar aquí?

«no camping»
«prohibido acampar»

is there a campsite near here?
¿hay algún camping cerca de aquí?

I'd like a space for one tent for two days
querría una parcela para una tienda por dos días

we were at number 62, row B
estábamos en la parcela 62, fila B

47 At the Seaside
En la costa

to swim	*nadar*
to go for a swim	*ir a nadar*
to dive	*bucear*
to go diving	*practicar submarinismo*
to float	*flotar*
to paddle about	*chapotear*
to drown	*ahogarse*
to get a tan	*broncearse*
to sunbathe	*tomar el sol*
to get sunburnt	*quemarse por el sol*
to get sunstroke	*coger una insolación*
to peel	*pelarse*
to splash	*salpicar, chapotear*
to be seasick	*marearse*
to row	*remar*
to sink	*hundirse*
to capsize	*zozobrar, volcar*
to fall overboard	*caer por la borda*
to go on board	*subir a bordo, embarcar*
to disembark	*desembarcar*
to drop anchor	*echar el ancla*
to weigh anchor	*levar el ancla*
sunny	*soleado*
tanned	*bronceado*
sunburn	*quemadura del sol*
sunstroke	*insolación*
in the shade	*a la sombra*
in the sun	*al sol*
off the coast of	*frente a las costas de*
sea	*mar*
beach	*playa*
shore	*orilla*
buoy	*boya*
beach hut	*caseta (de playa)*
sand	*arena*
shingle	*guijarro*
rock	*roca*
cliff	*acantilado*
salt	*sal*

wave	*ola*
groundswell	*mar de fondo, marejada*
tidal wave	*maremoto*
high tide	*marea alta*
low tide	*marea baja*
current	*corriente*
coast	*costa*
harbour, *(U.S.)* harbor	*puerto*
quay	*muelle*
pier	*embarcadero, muelle*
jetty	*embarcadero, malecón*
seafront	*paseo marítimo, malecón*
seabed	*fondo marino*
lighthouse	*faro*
horizon	*horizonte*
sunset	*puesta de sol, atardecer*
lifeguard	*vigilante, socorrista (de la playa)*
swimming instructor	*profesor de natación*
swimmer	*nadador*
(sea)shell	*concha (marina)*
seaweed	*alga*
fish	*pez*
crab	*cangrejo*
mussel	*mejillón*
shellfish	*crustáceo*
shark	*tiburón*
seagull	*gaviota*
jellyfish	*medusa*

boats las embarcaciones

ship	*barco, navío*
boat	*barca, bote*
rowing boat	*bote de remos*
sailing boat	*velero*
sailboat *(U.S.)*	*velero*
motorboat	*lancha a motor fuera borda*
yacht	*yate*
liner	*transatlántico*
cruise ship	*barco de crucero*
ferry	*ferry, transbordador*
dinghy	*bote neumático*
pedal boat	*barca de pedales, patín*
sail board	*tabla de windsurf*
oar	*remo*

sail	*vela*
sailing	*vela (actividad)*
anchor	*ancla*
wreck	*naufragio*
port	*babor*
starboard	*estribor*
bow	*proa*
stern	*popa*

things for the beach utensilios de playa

swimsuit	*traje de baño, bañador (de mujer)*
(swimming) trunks	*bañador (de hombre)*
bikini	*biquini*
swimming cap	*gorro de baño*
goggles	*gafas de nadar*
mask	*gafas de bucear*
snorkel	*tubo de buceo*
flippers	*aletas*
rubber ring	*salvavidas*
air bed	*colchoneta neumática*
Lilo® *(Brit.)*	*colchoneta neumática*
surfboard	*tabla de surf*
deckchair	*tumbona*
beach towel	*toalla de playa*
sunglasses	*gafas de sol*
beach umbrella	*parasol, sombrilla*
suntan oil	*aceite bronceador*
suntan lotion	*loción bronceadora*
spade	*pala*
bucket	*cubo*
sandcastle	*castillo de arena*
Frisbee®	*disco volador (juguete)*
ball	*pelota, balón*
flip-flops *(Brit.)*	*chanclas, chancletas*
thongs *(U.S.)*	*chanclas, chancletas*

«no bathing»
«prohibido bañarse»

I can't swim
no sé nadar

«man overboard!»
«hombre al agua»

I got ø sunburnt/sunstroke
*me he quemado con el sol/me ha dado
una insolación*

Nota:

★ «Sombra» se traduce por **shade** o **shadow** según el contexto.
Se utiliza **shadow** para una sombra proyectada, reflejada, mientras que **shade** se utiliza sobre todo en la expresión «a la sombra (de)», in the shade (of):

we sat in the shade
nos sentamos a la sombra

the shadow of a tree
la sombra de un árbol

48 GEOGRAPHICAL TERMS Términos GEOGRÁFICOS

continent	*continente*
country	*país*
area	*región, zona*
district	*distrito, barrio*
city	*ciudad (grande)*
town	*ciudad (mediana/pequeña)*
village	*pueblo*
capital (city)	*capital*
mountain	*montaña*
mountain range	*cadena montañosa*
hill	*colina*
cliff	*acantilado*
summit	*cumbre, cima*
peak	*pico*
pass	*puerto de montaña*
valley	*valle*
plain	*llanura*
plateau	*meseta*
glacier	*glaciar*
volcano	*volcán*
relief	*relieve*
sea	*mar*
ocean	*océano*
lake	*lago*
pool	*estanque*
pond	*estanque*
river	*río*
stream	*arroyo, riachuelo*
canal	*canal*
spring	*manantial, fuente*
coast	*costa*
island	*isla*
peninsula	*península*
promontory	*promontorio*
bay	*bahía*

gulf	*golfo*
estuary	*estuario*
desert	*desierto*
forest	*bosque*
tropical forest	*bosque tropical*
tropical rainforest	*selva tropical*
latitude	*latitud*
longitude	*longitud*
altitude	*altitud*
depth	*profundidad*
area	*superficie*
population	*población*
world	*mundo*
universe	*universo*
Tropics	*trópicos*
North Pole	*Polo Norte*
South Pole	*Polo Sur*
Equator	*ecuador*
solar system	*sistema solar*
space	*espacio*
planet	*planeta*
Mercury	*Mercurio*
Venus	*Venus*
Earth	*Tierra*
Mars	*Marte*
Jupiter	*Júpiter*
Saturn	*Saturno*
Uranus	*Urano*
Neptune	*Neptuno*
Pluto	*Plutón*
sun	*Sol*
moon	*Luna*
star	*estrella, astro*
constellation	*constelación*
asteroid	*asteroide*
comet	*cometa*
Milky Way	*Vía Láctea*

what is the highest mountain in Europe?
¿cuál es la montaña más alta de Europa?

London is a flat town
Londres es una ciudad llana

the Earth moves around the Sun
la Tierra gira alrededor del Sol

Véanse también los capítulos:

49 COUNTRIES, SEAS AND MOUNTAINS
PAÍSES, MARES Y MONTAÑAS

countries países

Afghanistan	*Afganistán*
Albania	*Albania*
Algeria	*Argelia*
Australia	*Australia*
Austria	*Austria*
Belarus	*Bielorrusia*
Belgium	*Bélgica*
Bosnia-Herzegovina	*Bosnia-Herzegovina*
Bulgaria	*Bulgaria*
Canada	*Canadá*
China	*China*
Croatia	*Croacia*
Czech Republic	*República Checa*
Denmark	*Dinamarca*
Egypt	*Egipto*
Eire/Ireland	*Irlanda*
England	*Inglaterra*
Estonia	*Estonia*
Finland	*Finlandia*
France	*Francia*
Germany	*Alemania*
Great Britain	*Gran Bretaña*
Greece	*Grecia*
Holland	*Holanda*
Hungary	*Hungría*
India	*la India*
Iran	*Irán*
Iraq	*Iraq o Irak*
Ireland/Eire	*Irlanda*
Israel	*Israel*
Italy	*Italia*
Japan	*Japón*
Jordan	*Jordania*
Latvia	*Letonia*
Lebanon	*el Líbano*

Libya	*Libia*
Lithuania	*Lituania*
Luxembourg	*Luxemburgo*
Macedonia	*Macedonia*
Morocco	*Marruecos*
Netherlands	*Países Bajos*
New Zealand	*Nueva Zelanda*
Northern Ireland	*Irlanda del Norte*
Norway	*Noruega*
Pakistan	*Pakistán*
Palestine	*Palestina*
Poland	*Polonia*
Portugal	*Portugal*
Romania	*Rumania*
Russia	*Rusia*
Saudi Arabia	*Arabia Saudí*
Scotland	*Escocia*
Slovakia	*Eslovaquia*
Slovenia	*Eslovenia*
Spain	*España*
Sweden	*Suecia*
Switzerland	*Suiza*
Syria	*Siria*
Tunisia	*Túnez*
Turkey	*Turquía*
Ukraine	*Ucrania*
United Kingdom	*el Reino Unido*
United States	*Estados Unidos*
USA	*EE.UU.*
Wales	*País de Gales*

continents *continentes*

Africa	*África*
America	*América*
Asia	*Asia*
Europe	*Europa*
North/South America	*América del Norte/Sur*
Oceania	*Oceanía*

major European capitals — principales capitales europeas

Amsterdam	*Ámsterdam*
Athens	*Atenas*
Belfast	*Belfast*
Berlin	*Berlín*
Bern	*Berna*
Brussels	*Bruselas*
Cardiff	*Cardiff*
Copenhagen	*Copenhague*
Dublin	*Dublín*
Edinburgh	*Edimburgo*
Helsinki	*Helsinki*
Lisbon	*Lisboa*
London	*Londres*
Luxembourg	*Luxemburgo*
Madrid	*Madrid*
Moscow	*Moscú*
Oslo	*Oslo*
Paris	*París*
Prague	*Praga*
Rome	*Roma*
Stockholm	*Estocolmo*
Vienna	*Viena*
Warsaw	*Varsovia*

regions — las regiones

the Third World	*el Tercer Mundo*
the Eastern Bloc	*los países del Este (de Europa)*
the Balkans	*los Balcanes*
the East	*Oriente*
the West	*Occidente*
the Near East *(Brit.)*	*Oriente Próximo*
the Middle East	*Oriente Medio, (U.S.) Oriente Próximo*
the Far East	*Extremo Oriente, Lejano Oriente*
Scandinavia	*Escandinavia*
the Caribbean	*Caribe*
Gaul	*Galia*
the Iberian Peninsula	*península Ibérica*
Castile	*Castilla*
Catalonia	*Cataluña*
the Basque Country	*País Vasco/Euskadi*

the Balearic Islands, the Balearics	*islas Baleares*
Andalusia	*Andalucía*
the Canaries, the Canary Islands	*Canarias/islas Canarias*
Bay of Biscay	*golfo de Vizcaya (mar Cantábrico)*

seas, rivers los mares, los ríos

the Adriatic Sea	*mar Adriático*
the Baltic Sea	*mar Báltico*
the Black Sea	*mar Negro*
the Caspian Sea	*mar Caspio*
the Dead Sea	*mar Muerto*
the (English) Channel	*canal de la Mancha*
the Mediterranean Sea	*mar Mediterráneo*
the North Sea	*mar del Norte*
the Red Sea	*mar Rojo*

the Arctic Ocean	*océano Glacial Ártico*
the Atlantic Ocean	*océano Atlántico*
the Indian Ocean	*océano Índico*
the Pacific Ocean	*océano Pacífico*

the Loire	*Loira*
the Rhine	*Rin*
the Rhone	*Ródano*
the Seine	*Sena*
the Thames	*Támesis*

islands las islas

the Azores	*las Azores*
Barbados	*Barbados*
the Bahamas	*las Bahamas*
the Balearic Islands, the Balearics	*islas Baleares*
Bermuda	*las Bermudas*
the Canary Islands, the Canaries	*islas Canarias*
Capri	*Capri*
the Cayman Islands	*islas Caimán*
Corfu	*Corfú*
Corsica	*Córcega*
Crete	*Creta*
Cyprus	*Chipre*
the Falklands	*islas Malvinas*
the Faroe Islands	*islas Feroe*
Fiji	*islas Fidji*

the Galapagos Islands	*islas Galápagos*
the Hebrides	*las Hébridas*
Jamaica	*Jamaica*
Madagascar	*Madagascar*
Madeira	*Madeira*
the Maldives	*las Maldivas*
the Marshall Islands	*islas Marshall*
Mauritius	*Mauricio*
New Caledonia	*Nueva Caledonia*
the Orkneys	*las Orcadas*
the Philippines	*las Filipinas*
Polynesia	*la Polinesia*
Puerto Rico	*Puerto Rico*
Reunion	*la Reunión*
Sardinia	*Cerdeña*
the Seychelles	*las Seychelles*
Sicily	*Sicilia*
the Shetlands	*las Shetland*
St Lucia	*Santa Lucía*
Tahiti	*Tahití*
Trinidad	*Trinidad*
the Virgin Islands	*islas Vírgenes*
the West Indies	*las Antillas*

mountains las montañas

the Adirondacks	*Adirondacks*
the Andes	*los Andes*
the Alps	*los Alpes*
the Appalachian Mountains, the Appalachians	*los Apalaches*
the Atlas Mountains	*el Atlas*
the Caucasus	*el Cáucaso*
the Dolomites	*los Dolomitas*
the Himalayas	*el Himalaya*
the Pyrenees	*los Pirineos*
the Rocky Mountains, the Rockies	*las Montañas Rocosas*
the Sierra Nevada	*Sierra Nevada*
the Urals, the Ural mountains	*los Urales*

I come from Lebanon
soy del Líbano

I live in Brussels
vivo en Bruselas

I spent my holidays in Spain
he pasado las vacaciones en España

I would like to go to China
me gustaría ir a China

have you ever been to the West Indies?
¿has estado alguna vez en las Antillas?

Nota:

★ El artículo **the** no aparece delante del nombre de algunas islas como **Bermuda**, **Corsica**, **Sicily** y **Sardinia**. Sin embargo, siempre se utiliza el artículo definido delante de los archipiélagos: **the Bahamas, the Hebrides, the Seychelles**, etc.

Los nombres de las cadenas montañosas siempre van precedidos del artículo y suelen ser plurales: **the Himalayas** *el Himalaya*, **the Urals** *los Urales*. No obstante, los nombres de las cimas nunca van precedidos de dicho artículo: **Etna, Ben Nevis, Kilimanjaro**, etc.

★ En inglés británico, **Near East** equivale en español al término *Próximo Oriente* u *Oriente Próximo* (Israel, Líbano, Jordania, Egipto, Turquía, Siria, Irak y Arabia), y **Middle East**, a *Oriente Medio* (Irán, Pakistán, India, etc.). En inglés americano **Middle East** se utiliza para ambos territorios. Llamar en español *Oriente Medio* al *Oriente Próximo* es un anglicismo muy frecuente procedente de Estados Unidos.

Véase también el capítulo:

50 NACIONALIDADES

50 NATIONALITIES
NACIONALIDADES

countries gentilicios

foreign	*extranjero*
Afghan	*afgano*
Albanian	*albanés*
Algerian	*argelino*
American	*estadounidense, americano*
Australian	*australiano*
Austrian	*austriaco*
Belgian	*belga*
Bosnian	*bosnio*
British	*británico*
Bulgarian	*búlgaro*
Canadian	*canadiense*
Chinese	*chino*
Croat, Croatian	*croata*
Danish	*danés*
Dutch	*holandés/neerlandés*
Egyptian	*egipcio*
English	*inglés*
Estonian	*estonio*
Finnish	*finlandés*
Flemish	*flamenco*
French	*francés*
German	*alemán*
Iranian	*iraní*
Iraqi	*iraquí*
Irish	*irlandés*
Israeli	*israelí*
Italian	*italiano*
Japanese	*japonés*
Jordanian	*jordano*
Latvian	*letón*
Lebanese	*libanés*
Libyan	*libio*
Lithuanian	*lituano*
Macedonian	*macedonio*
Moroccan	*marroquí*

New Zealander	*neozelandés*
Norwegian	*noruego*
Pakistani	*pakistaní*
Palestinian	*palestino*
Polish	*polaco*
Portuguese	*portugués*
Romanian	*rumano*
Russian	*ruso*
Saudi (Arabian)	*saudí*
Scottish	*escocés*
Slovak, Slovakian	*eslovaco*
Slovene, Slovenian	*esloveno*
Spanish	*español*
Swedish	*sueco*
Swiss	*suizo*
Syrian	*sirio*
Tunisian	*tunecino*
Turkish	*turco*
Ukrainian	*ucraniano*
Welsh	*galés*
Oriental	*oriental*
Western	*occidental*
African	*africano*
Asian	*asiático*
European	*europeo*
a Spaniard	*un español(a)*
the Spanish	*los españoles*
a Frenchman	*un francés*
a Frenchwoman	*una francesa*
theFrench	*los franceses*
an Englishman	*un inglés*
an Englishwoman	*una inglesa*
the English	*los ingleses*

John is English
John es inglés

I love American movies
me encantan las películas americanas

the English drink a lot of beer
los ingleses beben mucha cerveza

the Germans produce some fine cars
los alemanes fabrican buenos automóviles

I like **Chinese** food
me gusta la comida china

the **Japanese** are famous for their technology
los japoneses son famosos por su tecnología

she likes **Polish** music
le gusta la música polaca

the **Poles** are fond of football
a los polacos les encanta el fútbol

Spanish food is healthy
la comida española es sana

there is a **Spaniard** in my class
hay un español en mi clase

Nota:

★ Tal y como muestran los ejemplos anteriores, el nombre que designa la nacionalidad a veces es diferente del adjetivo.
En la lista siguiente, el adjetivo aparece en negrita y el nombre que corresponde al adjetivo, en azul:

British/**Briton** *británico*
Danish/**Dane** *danés*
Finnish/**Finn** *finlandés*
Polish/**Pole** *polaco*

Scottish/**Scot** *escocés*
Spanish/**Spaniard** *español*
Swedish/**Swede** *sueco*

★ El plural de los nombres de nacionalidad que acaban en **-man**/**-woman**, serán **-men**/**-women**: two **Englishmen** *dos ingleses*.
Por otro lado, a los nombres que acaban en **-ese** no se les añade **-s** en plural.

★ Los nombres y adjetivos que designan una nacionalidad siempre empiezan con mayúscula.

51 LANGUAGES Lenguas

to learn	*aprender*
to learn by heart	*aprender de memoria*
to understand	*comprender*
to write	*escribir*
to read	*leer*
to speak	*hablar*
to repeat	*repetir*
to pronounce	*pronunciar*
to translate	*traducir*
to improve	*mejorar*
to mean	*querer decir*
French	*francés*
English	*inglés*
German	*alemán*
Spanish	*español*
Portuguese	*portugués*
Italian	*italiano*
modern Greek	*griego moderno*
ancient Greek	*griego clásico*
Latin	*latín*
Russian	*ruso*
Arabic	*árabe*
Chinese	*chino*
Japanese	*japonés*
Gaelic	*gaélico*
language	*lengua*
mother tongue	*lengua materna*
foreign language	*lengua extranjera*
modern languages	*lenguas modernas*
dead languages	*lenguas muertas*
vocabulary	*vocabulario*
grammar	*gramática*
pronunciation	*pronunciación*
translation	*traducción*

I don't understand
no comprendo

it's in English
está en inglés

translated into/from English
traducido al/del inglés

she speaks Spanish fluently o fluent Spanish
habla español fluidamente/con soltura

he's fluent in Italian
habla un italiano fluido

could you speak more slowly, please?
¿podría hablar más despacio, por favor?

could you repeat that, please?
¿podría repetirlo, por favor?

Patrick is good at languages
Patrick est bueno en idiomas/lenguas

Nota:

★ En inglés, los nombres de las lenguas (que se escriben con mayúscula) no van precedidos del artículo definido en ningún caso:

I am learning ø English
estoy aprendiendo inglés

ø English is his native language
el inglés es su lengua materna

he speaks ø English very badly
habla muy mal el inglés

★ En este último ejemplo, el grupo adverbial very badly aparece al final de la frase. En inglés, el adverbio no puede colocarse entre el verbo y el complemento. Siempre se dirá:

they speak English well (y nunca they speak well English)
hablan bien inglés

Véase también el capítulo:

50 NACIONALIDADES

52 INCIDENTS
SUCESOS

to happen	*suceder, pasar*
to occur	*ocurrir, producirse*
to take place	*tener lugar*
to meet	*encontrarse con*
to coincide	*coincidir*
to miss	*faltar poco para*
to drop	*dejar caer*
to spill	*derramar(se)*
to knock over	*volcar, tirar (derramar)*
to fall	*caer*
to spoil	*estropear, echar a perder*
to damage	*dañar*
to break	*romper*
to cause	*provocar*
to be careful	*tener cuidado*
to forget	*olvidar*
to lose	*perder*
to look for	*buscar*
to recognize	*reconocer*
to find	*encontrar*
to find (again)	*volver a encontrar*
to get lost	*perderse*
to lose one's way	*extraviarse*
to ask one's way	*preguntar cómo llegar (en caso de extravío)*
absent-minded	*distraído*
careless	*descuidado, negligente, imprudente*
clumsy	*torpe*
forgetful	*olvidadizo, despistado*
unexpected	*inesperado, imprevisto*
accidentally	*por casualidad, de manera fortuita*
by chance	*por azar/casualidad*
inadvertently	*inadvertidamente*
unfortunately	*desafortunadamente*
coincidence	*concidencia*

surprise	*sorpresa*
luck	*suerte*
bad luck	*mala suerte*
chance	*azar*
misadventure	*desventura*
meeting	*encuentro*
absent-mindedness	*distracción*
carelessness	*distracción, despiste*
clumsiness	*torpeza*
forgetfulness	*olvido, descuido*
fall	*caída*
damage	*daño*
loss	*pérdida*
lost property office *(Brit.)*	*oficina de objetos perdidos*
lost-and-found (office) *(U.S.)*	*oficina de objetos perdidos*
reward	*recompensa*

---

what's wrong?
¿qué pasa? (ante un problema)

what is it?
¿qué es esto?

what a coincidence!
¡qué coincidencia!

what a pity/shame!
¡qué lástima/pena!

just my luck!
¡sólo podía pasarme a mí!

we're out of luck
estamos gafados

watch out!
¡cuidado!

be careful!
¡ten cuidado!

53 ACCIDENTS
ACCIDENTES

to drive	*conducir, manejar (un automóvil)*
to skid	*derrapar*
to slide	*patinar, deslizar*
to hurtle down	*bajar rodando*
to sink	*hundir(se)*
to burst	*estallar*
to lose control of	*perder el control de*
to derail	*descarrilar*
to somersault	*dar una vuelta de campana*
to crash into	*estrellarse contra*
to run over	*atropellar*
to wreck	*derribar, destruir*
to demolish	*demoler*
to damage	*dañar*
to destroy	*destruir*
to be trapped	*estar atrapado*
to be in shock	*estar conmocionado*
to lose consciousness	*perder la conciencia/el conocimiento*
to regain consciousness	*recobrar la conciencia/el conocimiento*
to be in a coma	*estar en coma*
to die at the scene	*morir en el acto*
to perish	*perecer*
to witness	*presenciar, ser testigo*
to inform	*delatar*
to notify	*delatar*
to warn	*advertir, alertar*
to make o draw up a report	*poner una denuncia, realizar un atestado*
to compensate	*indemnizar, compensar*
to slip	*resbalar*
to drown	*ahogar(se)*
to suffocate	*asfixiar*
to fall (from)	*caerse (de)*
to fall out of the window	*caer por la ventana, defenestrarse*
to get an electric shock	*recibir una descarga eléctrica*
to electrocute oneself	*electrocutarse*
to burn oneself	*quemarse, prenderse fuego*
to scald oneself	*escaldarse*
to cut oneself	*cortarse*

drunk	*borracho*
injured	*herido*
dead	*muerto*
serious	*grave*
fatal	*mortal*
insured	*asegurado*

 ## road accidents accidentes de circulación

accident	*accidente*
car accident	*accidente de automóvil*
road accident	*accidente de circulación/carretera*
car crash	*colisión/choque de automóviles*
pile-up	*choque múltiple*
impact	*impacto*
smash *(Brit., fam.)*	*colisión, accidente*
somersault	*vuelta de campana*
explosion	*explosión*
hard shoulder *(Brit.)*	*arcén*
shoulder *(U.S.)*	*arcén*
speeding	*exceso de velocidad*
Breathalyser®	*prueba de alcoholemia*
drink-driving *(Brit.)*	*conducción en estado de embriaguez*
drunk-driving *(U.S.)*	*conducción en estado de embriaguez*
driving while intoxicated *(U.S.)*	*conducción en estado de embriaguez*
tiredness	*fatiga*
poor visibility	*falta de visibilidad*
blind spot	*ángulo muerto*
fog	*niebla*
rain	*lluvia*
(black) ice *(Brit.)*	*hielo*
(glare) ice *(U.S.)*	*hielo*
cliff	*acantilado*
precipice	*precipicio*

 ## other accidents otros accidentes

industrial accident	*accidente de trabajo*
mountaineering accident	*accidente de montaña*
fall	*caída*
drowning	*ahogamiento*
electric shock	*descarga eléctrica*
plane crash	*accidente de avión*

injured persons and witnesses heridos y testigos

injured person	*herido*
dead person	*muerto*
witness	*testigo*
eye witness	*testigo ocular*
concussion	*conmoción cerebral*
injury	*herida*
burn	*quemadura*
broken leg/arm	*pierna fracturada/brazo fracturado*
composure	*sangre fría, calma*

help servicios de socorro

emergency services	*servicios de emergencia*
police	*policía*
fire brigade *(Brit.)*	*bomberos*
fire department *(U.S.)*	*bomberos*
breakdown service	*remolque, grúa*
breakdown vehicle	*grúa*
first aid	*primeros auxilios*
emergency	*urgencias*
ambulance	*ambulancia*
doctor	*doctor*
nurse	*enfermero*
first-aid kit	*botiquín de primeros auxilios*
stretcher	*camilla*
artificial respiration	*respiración artificial*
kiss of life	*boca a boca*
oxygen	*oxígeno*
tourniquet	*torniquete*

the consequences las consecuencias

damage	*daños*
report	*atestado*
fine	*multa*
justice	*justicia*
court	*tribunal*
sentence	*sentencia*
insurance	*seguro*
responsibility	*responsabilidad*

damages	*daños y perjuicios*
compensation	*indemnización*

help! | go and get some help!
¡ayuda! | *¡id a buscar ayuda!*

his son witnessed the car crash | his brakes failed
su hijo fue testigo del accidente de coche | *le fallaron los frenos*

he's lucky, he escaped with only a few scratches
tiene suerte, salió sólo con unos rasguños

my car is *(Brit.)* a write-off o *(U.S.)* totaled
mi coche ha quedado para el desguace

the family will be given compensation
la familia recibirá una indemnización

Nota:

★ Cuando la palabra **damage** significa daño es incontable:

the accident did little damage
el accidente causó pocos daños

Pero en plural, la palabra **damages** tiene otro significado:

he had to pay damages after the accident
tuvo que pagar daños y perjuicios debido al accidente

Véanse también los capítulos:

54 DISASTERS
CATÁSTROFES

to attack	*atacar*
to defend	*defender*
to starve	*morir de hambre*
to collapse	*derrumbarse, desplomarse*
to erupt	*entrar en erupción*
to explode	*explotar*
to shake	*temblar*
to burn	*arder*
to extinguish	*extinguir*
to raise the alarm	*dar la alarma*
to rescue	*salvar*
to sink	*hundir*

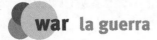

war la guerra

army	*ejército (de tierra)*
navy	*marina, armada*
air force	*fuerza aérea*
enemy	*enemigo*
ally	*aliado*
battlefield	*campo de batalla*
bombing	*bombardeo*
bomb	*bomba*
terrorist attack	*atentado terrorista*
nuclear weapons	*armamento nuclear*
chemical weapons	*armas químicas*
biological warfare	*guerra bacteriológica*
weapons of mass destruction	*armas de destrucción masiva*
shell	*obús, proyectil*
missile	*misil*
tank	*tanque, carro de combate*
gun	*pistola, revólver, arma de fuego*
machine-gun	*ametralladora*
mine	*mina*
civilian	*civil*
refugee	*refugiado*
soldier	*soldado*
general	*general*

colonel	*coronel*
captain	*capitán*
sergeant	*sargento*
major	*comandante*
cruelty	*crueldad*
torture	*tortura*
death	*muerte*
wound	*herida*
victim	*víctima*
air-raid shelter	*refugio antiaéreo*
nuclear shelter	*refugio antinuclear*
truce	*tregua*
treaty	*tratado*
victory	*victoria*
defeat	*derrota*
peace	*paz*

natural disasters catástrofes naturales

famine	*hambre*
malnutrition	*desnutrición, hambre, hambruna*
lack of	*carencia de*
epidemic	*epidemia*
drought	*sequía*
tornado	*tornado*
cyclone	*ciclón*
tidal wave	*maremoto*
flooding	*inundación*
earthquake	*terremoto*
volcano	*volcán*
volcanic eruption	*erupción volcánica*
lava	*lava*
avalanche	*avalancha*
relief organization	*organización de ayuda a los damnificados*
humanitarian aid	*ayuda humanitaria*
the Red Cross	*la Cruz Roja*
volunteer	*voluntario*
rescue	*rescate, auxilio*
SOS	*SOS*

fires los incendios

fire	*incendio, fuego*
forest fire	*incendio forestal*
smoke	*humo*
flames	*llamas*
explosion	*explosión*
fire brigade *(Brit.)*	*bomberos*
fire department *(U.S.)*	*bomberos*
firefighter	*bombero*
fireman *(Brit.)*	*bombero*
fire engine	*coche/camión de bomberos*
fire truck *(U.S.)*	*coche/camión de bomberos*
ladder	*escalera*
hose	*manguera*
fire extinguisher	*extintor*
fire hose	*manguera contra incendios*
emergency exit	*salida de seguridad*
panic	*pánico*
ambulance	*ambulancia*
survivor	*superviviente*

«fire!»
«¡fuego!»

France and Great Britain **went to** war with Germany in 1939
Francia y Gran Bretaña entraron en guerra contra Alemania en 1939

another war has **broken out** between India and Pakistan
se ha producido *otro conflicto armado entre la India y Pakistán*

the UN wants to prevent the proliferation of chemical weapons
la ONU quiere evitar la proliferación de armas químicas

two volcanoes **erupted** last year in Japan
el año pasado entraron en erupción dos volcanes en Japón

the firemen managed to **bring** the fire **under control**
los bomberos consiguieron controlar/extinguir el fuego

Véase también el capítulo:

53 ACCIDENTES

55 CRIMES Delitos

to steal	*robar*
to burgle *(Brit.)*	*robar, desvalijar*
to burglarize *(U.S.)*	*robar*
to break in	*forzar la entrada*
to threaten	*amenazar*
to murder	*asesinar*
to assassinate	*asesinar (por motivos políticos)*
to kill	*matar*
to stab	*apuñalar*
to strangle	*estrangular*
to shoot	*disparar, abatir de un disparo*
to poison	*envenenar*
to attack	*atacar, agredir*
to assault	*asaltar, agredir*
to mug *(fam.)*	*asaltar*
to force	*forzar*
to rape	*violar*
to kidnap	*secuestrar*
to abduct	*raptar, secuestrar*
to hold up	*retener*
to hijack	*secuestrar (un avión, etc.)*
to take hostage	*tomar un rehén*
to set fire to	*prender fuego a*
to blackmail	*chantajear*
to defraud	*defraudar, estafar*
to swindle	*estafar, timar*
to embezzle	*malversar, desfalcar*
to smuggle	*hacer contrabando, pasar de contrabando*
to drug	*drogar*
to deal drugs	*traficar con droga*
to be a prostitute	*prostituirse*
to spy	*espiar*
to arrest	*detener, arrestar*
to handcuff	*poner las esposas, esposar*
to investigate	*investigar*
to lead an investigation	*llevar una investigación*

to question	*interrogar*
to interrogate	*interrogar*
to charge	*inculpar, acusar*
to search	*registrar, cachear*
to beat up	*dar una paliza*
to surround	*rodear, poner cerco*
to seal off	*acordonar, precintar (una calle,* *un edificio, etc.)*
to rescue	*rescatar*
to defend	*defender*
to prosecute	*procesar, enjuiciar*
to accuse	*acusar*
to try	*juzgar*
to prove	*probar*
to sentence	*condenar*
to imprison	*encarcelar*
to lock up	*encerrar, encarcelar*
to convict	*declarar culpable, condenar*
to acquit	*absolver*
to release	*liberar*
to be released o remanded on bail	*estar en libertad bajo fianza*
to be remanded in custody	*estar en prisión preventiva*
guilty	*culpable*
innocent	*inocente*

crime el delito

theft	*hurto, robo*
burglary	*robo*
break-in	*robo (con allanamiento de morada)*
murder	*asesinato, homicidio*
assassination	*asesinato (de una persona* *importante), magnicidio*
attack	*ataque, agresión*
assault	*asalto, agresión*
mugging *(fam.)*	*atraco, asalto*
rape	*violación*
kidnapping	*secuestro*
abduction	*rapto*
armed attack	*ataque/atraco a mano armada*
hold-up	*atraco*
hijacking	*secuestro (de un avión, etc.)*
arson	*incendio provocado*
blackmail	*chantaje, extorsión*

fraud	*fraude, estafa*
smuggling	*contrabando*
confidence trick	*estafa, timo*
drug trafficking	*tráfico de droga (a gran escala)*
drug dealing	*tráfico de droga (reventa)*
prostitution	*prostitución*
spying	*espionaje*
terrorism	*terrorismo*
thief	*ladrón, carterista*
burglar	*ladrón*
killer	*asesino, homicida*
murderer	*asesino, homicida*
assassin	*asesino*
attacker	*agresor, atacante*
assailant	*asaltante, agresor*
mugger *(fam.)*	*atracador*
rapist	*violador*
hijacker	*secuestrador (de aviones, etc.)*
kidnapper	*secuestrador*
arsonist	*pirómano*
blackmailer	*chantajista*
fraudster *(Brit.)*	*defraudador*
smuggler	*contrabandista*
drug trafficker	*traficante de droga (a gran escala)*
drug dealer	*traficante de droga (revendedor), (fam.) camello*
pimp *(fam.)*	*proxeneta, macarra*
prostitute	*prostituta*
spy	*espía*
terrorist	*terrorista*
victim	*víctima*
hostage	*rehén*

weapons armas

gun	*revólver, arma corta*
pistol	*pistola*
handgun	*revólver, pistola*
rifle	*fusil, escopeta*
revolver	*revólver*
knife	*cuchillo*
dagger	*puñal, daga*
poison	*veneno*

punch	*puñetazo*
knuckle-duster	*puñetazo (con puño de hierro)*

police la policía

policeman	*agente (de policía), policía (hombre)*
policewoman	*agente (de policía), policía (mujer)*
police officer	*agente de policía*
riot policeman	*policía antidisturbios*
constable *(Brit.)*	*guardia, policía*
sergeant	*oficial de policía*
inspector *(Brit.)*	*inspector*
lieutenant *(U.S.)*	*inspector*
captain *(U.S.)*	*comisario de distrito*
chief superintendent *(Brit.)*	*comisario/inspector jefe*
chief *(U.S.)*	*comisario/inspector jefe*
detective	*detective*
plain-clothes policeman	*policía no uniformado/de paisano*
uniformed policeman	*policía uniformado*
detective	*detective*
police force	*fuerza de orden público, policía*
mounted police	*policía montada*
police station	*comisaría de policía*

report	*informe, atestado*
investigation	*investigación*
inquiry	*interrogatorio*
clue	*pista*
lead	*indicio, pista*
police dog	*perro policía*
sniffer dog	*perro policía rastreador (antidrogas o antiexplosivos)*

informer	*informante*
truncheon *(Brit.)*	*porra*
billy (club) *(U.S.)*	*porra*
handcuffs	*esposas*
helmet	*casco*
shield	*escudo*
tear gas	*gas lacrimógeno*
police car	*coche de policía*
police van	*furgón de policía*
cell	*celda*

the judicial system   el sistema judicial

case	*caso*
trial	*proceso*
accused	*acusado*
victim	*víctima*
evidence	*pruebas*
witness	*testigo*
lawyer	*abogado*
judge	*juez*
juror	*miembro del jurado*
jury	*jurado*
counsel for the prosecution	*fiscal*
defence, *(U.S.)* defense	*defensa*
sentence	*sentencia, fallo, condena*
reprieve	*indulto*
suspended sentence	*suspensión de sentencia*
reduced sentence	*reducción de pena*
fine	*multa*
probation	*libertad condicional/vigilada*
imprisonment	*reclusión, encarcelamiento*
prison	*prisión*
bail	*fianza*
remand	*prisión preventiva*
life sentence	*cadena perpetua*
death sentence	*pena de muerte*
electric chair	*silla eléctrica*
hanging	*ejecución en la horca*
miscarriage of justice	*error judicial*

---

he embezzled money from us
malversó nuestros fondos

they were swindled out of all their savings
les estafaron todos los ahorros

he was handcuffed
fue esposado

he was sentenced to 20 years' imprisonment
ha sido condenado a 20 años de cárcel

the police are investigating ø this case
la policía está investigando este caso

Nota:

★ Police es un nombre plural aunque nunca lleve terminación de plural. Significa «la policía» o «los policías»:

the police are on their way
llega la policía

18 police were injured (= 18 policemen)
18 policías han sido/resultado heridos

Algunas veces este nombre puede ir precedido de un artículo indefinido cuando va acompañado de un adjetivo, de una oración de relativo, etc.

this country used to have a semi-military police (= police force)
hace tiempo, este país contaba con una policía semimilitar

★ El nombre colectivo jury va seguido del verbo en plural cuando se quiere hacer hincapié en los miembros que lo forman:

the jury is one of the safeguards of our legal system
el jurado es el garante de nuestro sistema legal

the jury have returned their verdict
el jurado ha emitido el veredicto

★ La palabra evidence *(prueba, las pruebas)* es incontable:

the evidence is against him   a piece of evidence
las pruebas están en su contra   *una prueba*

56 ADVENTURES AND DREAMS AVENTURAS Y SUEÑOS

to play	jugar
to have fun	divertirse
to imagine	imaginar
to happen	pasar, suceder
to hide	esconder(se)
to run off/away	salir corriendo
to escape	escapar
to chase	perseguir
to discover	descubrir
to explore	explorar
to dare	atreverse, osar

to dress up (as a)	disfrazar(se) de
to play truant o *(U.S., fam.)* hookey	hacer novillos
to play hide-and-seek	jugar al escondite
to take to one's heels	poner pies en polvorosa

to bewitch	hechizar
to tell fortunes	decir/leer la buenaventura
to foretell	profetizar

to dream	soñar
to daydream	soñar despierto, ensoñar
to have a dream	tener un sueño
to have a nightmare	tener una pesadilla

adventures las aventuras

adventure	aventura
misadventure	desventura
game	juego
playground	terreno de juego
journey	viaje
escape	fuga, evasión
disguise	disfraz
unknown	(lo) desconocido
event	acontecimiento

discovery	*descubrimiento*
chance	*azar*
luck	*suerte*
ill-luck	*mala suerte*
danger	*peligro*
risk	*riesgo*
hiding place	*escondite*
cave	*cueva, caverna, gruta*
island	*isla*
treasure	*tesoro*
courage	*valentía, coraje*
recklessness	*temeridad*
cowardice	*cobardía*

fairytales and legends — cuentos de hadas y leyendas

wizard	*brujo*
witch	*bruja*
magician	*mago*
fairy	*hada*
sorcerer	*hechicero*
genie	*genio*
prophet	*profeta*
gnome	*gnomo*
imp	*diablillo*
goblin	*duende travieso, trasgo*
dwarf	*enano*
giant	*gigante*
ogre	*ogro*
ghost	*fantasma, aparición*
skeleton	*esqueleto*
vampire	*vampiro*
dragon	*dragón*
werewolf	*hombre lobo*
monster	*monstruo*
alien	*extraterrestre*
owl	*búho*
toad	*sapo*
black cat	*gato negro*
haunted house	*casa encantada*
cemetery	*cementerio*
spaceship	*nave espacial*
UFO	*ovni (objeto volante no identificado)*
universe	*universo*

magic	*magia*
magic potion	*poción mágica*
magic spell	*hechizo, sortilegio*
superstition	*superstición*
magic wand	*barita mágica*
magic lantern	*lámpara mágica/maravillosa*
flying carpet	*alfombra voladora*
broomstick	*escoba (voladora)*
crystal ball	*bola de cristal*
tarot	*tarot*
full moon	*luna llena*

 dreams los sueños

dream	*sueño*
daydream	*ensueño*
nightmare	*pesadilla*
imagination	*imaginación*
subconscious	*inconsciente*
hallucination	*alucinación*
waking up	*despertar*

I had a nice dream/horrible nightmare
he tenido un dulce sueño/una pesadilla horrible

do you know what happened to me yesterday?
¿sabes qué me ocurrió ayer?

you let your imagination run away with you
te dejas llevar por la imaginación

57 THE TIME La hora

things that tell the time — objetos que indican la hora

watch	reloj (de pulsera)
digital watch	reloj digital
clock	reloj (grande)
alarm clock	despertador
stopwatch	cronómetro
speaking clock	servicio horario telefónico
time switch	temporizador
timer	reloj automático, temporizador
clock tower	reloj de campanario
bell	campana
sundial	reloj de sol
egg-timer	reloj de arena
hands of a watch	agujas de un reloj
minute hand	minutero
hour hand	horario (aguja horaria)
second hand	segundero
time zone	huso horario
Greenwich Mean Time (GMT)	hora (del meridiano) de Greenwich
British Summer Time *(Brit.)*	hora de verano
Daylight (Saving) Time *(U.S.)*	hora de verano

what time is it? ¿qué hora es?

one o'clock	la una en punto
eight a.m.	las ocho de la mañana
eight o'clock in the morning	las ocho de la mañana
five (minutes) past eight *(Brit.)*	las ocho y cinco (minutos)
five (minutes) after eight *(U.S.)*	las ocho y cinco (minutos)
a quarter past eight *(Brit.)*	las ocho y cuarto
a quarter after eight *(U.S.)*	las ocho y cuarto
ten thirty	las diez y media
half past ten	las diez y media
twenty to eleven	las once menos veinte
twenty before eleven *(U.S.)*	las once menos veinte

a quarter to eleven	*las once menos cuarto*
a quarter before eleven *(U.S.)*	*las once menos cuarto*
twelve fifteen	*las doce y cuarto*
a quarter past twelve *(Brit.)*	*las doce y cuarto*
a quarter after twelve *(U.S.)*	*las doce y cuarto*
two p.m.	*las dos de la tarde, las catorce horas*
two o'clock in the afternoon	*las dos en punto de la tarde*
two thirty p.m.	*las dos y media de la tarde*
ten p.m.	*las diez de la noche*
ten o'clock in the evening	*las diez en punto de la noche*

 ## divisions of time la división del tiempo

time	*tiempo, hora*
moment	*momento, instante*
second	*segundo*
minute	*minuto*
quarter of an hour	*cuarto de hora*
half an hour	*media hora*
three quarters of an hour	*tres cuartos de hora*
hour	*hora*
an hour and a half	*una hora y media*
day	*día, jornada*
sunrise	*amanecer, salida del sol*
morning	*la mañana*
midday	*el mediodía*
noon	*el mediodía*
afternoon	*la tarde (después del mediodía)*
evening	*la tarde*
sunset	*anochecer, la puesta de sol*
night	*noche*
midnight	*medianoche*

 ## being late/on time ir retrasado/puntual

to leave on time	*salir a la hora/puntual*
to be early	*ir adelantado*
to be ahead of schedule	*llegar con adelanto/antes de hora*
to be on time	*estar a la hora, ser puntual*
to arrive on time	*llegar puntual/a tiempo*
to be late	*ir con retraso, llegar tarde*
to be behind schedule	*ir con retraso*
to hurry (up)	*apresurarse*
to be in a hurry	*tener prisa*

when? ¿cuándo?

when	*cuándo*
before	*antes*
after	*después*
during	*durante, mientras*
early	*temprano*
late	*tarde*
now	*ahora*
at the moment	*en el momento*
straight away	*enseguida, inmediatamente*
immediately	*inmediatamente*
already	*ya*
presently	*ahora mismo, dentro de poco*
a short while ago	*hace un momento*
suddenly	*de repente*
soon	*pronto*
first	*primero, en primer lugar, antes*
then	*entonces, luego, después*
finally	*finalmente, por fin*
at that time	*en este/ese/aquel momento*
recently	*recientemente*
since	*desde*
while	*durante, mientras*
meanwhile	*mientras/entre tanto*
for a long time	*por mucho/largo tiempo*
a long time ago	*hace mucho tiempo*
always	*siempre*
never	*nunca, jamás*
often	*a menudo, frecuentemente*
sometimes	*a veces*
from time to time	*de vez en cuando*
rarely	*rara vez, pocas veces*

---

what time is it?
¿qué hora es?

what time do you *(Brit.)* make it
  o *(U.S.)* have?
¿qué hora tienes/llevas?

it's two o'clock (exactly)
son las dos en punto

do you have the (exact) time?
¿tiene la hora exacta?

at three o'clock on the dot
a las tres en punto

be there at two o'clock sharp
estate allí a las dos en punto

---

it's about two o'clock
son alrededor de las dos

he came at around two
llegó a eso de las dos

what time does the train leave?
¿a qué hora sale el tren?

at five in the morning
a las cinco de la mañana

I've set my watch to the right time
he puesto el reloj en hora

my watch is fast/slow
mi reloj se adelanta/atrasa

it's 12 (o'clock)/midnight
son las doce de   la noche

it's 12 (o'clock)/noon/12 noon/midday
son las doce de la mañana

there's a three-hour time difference between the two countries
hay tres horas de diferencia entre los dos países

Nota:

★ Atención con el uso de on time *(a la hora)* y de in time *(a tiempo).*
In time va seguido, en general, por una frase en infinitivo (in time
to do something) o un nombre precedido por una preposición
(in time for something):

I arrived in time
llegué puntual

is the bus on time?
¿va puntual el autobús?

you're just in time to greet our guests
llegas a punto para recibir a nuestros invitados

I'll be back in time for the film
estaré de vuelta para cuando empiece la película

Atención también con la expresión in good time:

let me know in (good) time
avísame con tiempo

★ Las expresiones del tipo «las quince horas» (en lugar de «las tres») no
se usan en el inglés cotidiano. Sin embargo, suelen usarse en algunos
horarios y en el lenguaje militar (a menudo seguidas de hours):

fifteen hundred hours
fifteen thirty hours
'o' five hundred hours

las quince horas
las quince horas y treinta minutos
las cinco de la mañana

El empleo de «o» para designar el cero delante de una cifra sólo se da en el lenguaje militar. Para los horarios se utiliza sólo five hundred hours.

En cuanto a los medios de transporte, también se puede decir:

we took the sixteen-twenty to Brighton
cogimos el tren de las 16:20 para Brighton

58 THE WEEK La semana

Monday	*lunes*
Tuesday	*martes*
Wednesday	*miércoles*
Thursday	*jueves*
Friday	*viernes*
Saturday	*sábado*
Sunday	*domingo*
day	*día, jornada*
week	*semana*
weekend	*fin de semana*
fortnight *(Brit.)*	*quincena, quince días*
today	*hoy*
tomorrow	*mañana*
the day after tomorrow	*pasado mañana*
yesterday	*ayer*
the day before yesterday	*antes de ayer*
the day before	*el día antes, la víspera*
the day after	*el día después*
two days later	*dos días después*
this week	*esta semana*
next week	*la semana próxima/que viene*
last week	*la semana pasada*
last Monday	*el lunes pasado*
next Monday	*el lunes que viene/próximo*
in a week's time	*en/dentro de una semana*
a week today	*de aquí a una semana*
in two weeks' time	*en/dentro de dos semanas*
Thursday week	*del jueves en ocho (días)*
a week from o *(Brit.)* on Thursday	*del jueves en ocho (días)*
yesterday morning	*ayer por la mañana*
yesterday evening	*ayer por la tarde/noche*
last night	*ayer (por la) noche*
this evening	*esta tarde/noche*
tonight	*esta noche*
tomorrow morning	*mañana por la mañana*
tomorrow evening	*mañana por la tarde/noche*
three days ago	*hace tres días*

on Thursday I went to the swimming pool
el jueves fui a la piscina

on Thursdays I go to the swimming pool
los jueves voy a la piscina

I go to the swimming pool every Thursday
voy a la piscina todos los jueves

he comes to see me every day
viene a verme todos los días

at the weekend
(en) el fin de semana

see you on Monday
nos vemos el lunes/hasta el lunes

see you next week!
¡hasta la semana que viene!

see you tomorrow!
¡nos vemos mañana!/¡hasta mañana!

Nota:

★ En inglés, los días de la semana, al contrario que en español, siempre empiezan por mayúscula.

★ Las expresiones de tiempo con **next** y **last** no siempre van precedidas por **the**. Si se usan refiriéndose al presente, no se suele utilizar el artículo:

can we meet ø next week?
¿podemos vernos la próxima semana?

he was drunk ø last night
ayer por la noche estaba borracho

En el resto de casos se utiliza el artículo:

we arrived on 31 March and the next day was spent relaxing by the pool
llegamos el 31 de marzo y el día siguiente lo pasamos descansando en la piscina

59 THE YEAR El año

the months of the year · los meses del año

January	*enero*
February	*febrero*
March	*marzo*
April	*abril*
May	*mayo*
June	*junio*
July	*julio*
August	*agosto*
September	*septiembre*
October	*octubre*
November	*noviembre*
December	*diciembre*
month	*mes*
quarter	*trimestre*
year	*año*
decade	*década*
century	*siglo*

the seasons · las estaciones

spring	*primavera*
summer	*verano*
autumn	*otoño*
fall *(U.S.)*	*otoño*
winter	*invierno*

festivals · los días festivos

public holiday	*fiesta oficial, día festivo oficial*
Christmas	*Navidad*
New Year's Eve	*Nochevieja*
New Year's Day	*día de Año Nuevo*
Shrove Tuesday	*martes de Carnaval*

Ash Wednesday	*miércoles de Ceniza*
Good Friday	*viernes Santo*
Easter	*Semana Santa, Pascua*
Easter Monday	*lunes de Pascua*
Whitsun *(Brit.)*	*Pentecostés*
St Valentine's Day	*día de San Valentín*
April Fools' Day	*día de los Santos Inocentes (en EE.UU.*
	y Gran Bretaña se celebra el 1 de abril)

my birthday is in February
mi cumpleaños cae en febrero

it rains a lot in March
en marzo llueve mucho

ø summer is my favourite season
el verano es mi estación favorita

he needs the summer to recover
necesita el verano para recuperarse

ø spring is here!
¡ha llegado la primavera !

in winter I go skiing
en invierno voy a esquiar

most leaves turn yellow in (the) autumn o *(U.S.)* in the fall
la mayoría de las hojas se ponen amarillas en otoño

Nota:

★ Al igual que los días de la semana, el nombre de los meses en inglés se escribe siempre con mayúscula.

Véanse también los capítulos:

60 THE DATE La fecha

to date (from)	*datar de*
to last	*durar*
the present	*el presente*
the past	*el pasado*
the future	*el futuro*
history	*historia*
prehistory	*prehistoria*
antiquity	*antigüedad*
the Middle Ages	*la Edad Media*
the Renaissance	*el Renacimiento*
the Age of Enlightenment o Reason	*el Siglo de las Luces, la Ilustración*
the French Revolution	*la Revolución francesa*
the Industrial Revolution	*la revolución industrial*
the twenty-first century	*el siglo veintiuno*
date	*fecha*
day	*día*
month	*mes*
week	*semana*
year	*año*
decade	*década*
century	*siglo*
millennium	*milenio*
present	*presente*
current	*actual*
modern	*moderno*
past	*pasado*
future	*futuro*
daily	*diario, cotidiano*
weekly	*semanal*
monthly	*mensual*
yearly	*anual*
annual	*anual*
in the past	*en otro tiempo, en el pasado*
in times past	*antaño, antiguamente*
formerly	*hace tiempo, anteriormente, antiguamente*
for a long time	*durante mucho tiempo*
never	*nunca, jamás*

always	*siempre*
sometimes	*algunas/a veces*
when	*cuando*
since	*desde (que)*
until	*hasta*
again	*otra vez, de nuevo*
still	*todavía, aún*
at that time	*en aquella época*
BC	*antes de Cristo (a. C.)*
AD	*después de Cristo (d. C.)*
at the beginning of the century	*a principios de siglo*
in the middle of the century	*a mitad de siglo*
at the end of the century	*a fines/finales de siglo*

what date is it today?
¿a qué fecha estamos hoy?

it's Tuesday, *(Brit.)* the first of May o *(U.S.)* May first
es martes, primero/uno de mayo

it's the fifteenth of August
es quince de agosto

he'll be back on the sixteenth of July
regresará el dieciséis de julio

when is your birthday?
¿cuándo es tu cumpleaños?

he left a year ago/in 2006
se fue hace un año/en 2006

once upon a time, there was...
érase una vez...

Nota:

★ En inglés, también suelen utilizarse los números ordinales para las fechas (aunque los números cardinales también pueden emplearse):

I wrote to you on 3rd March (que se dice on the third of March)
os escribí el 3 de marzo

La fecha puede escribirse de formas diferentes: 12(th) May o May 12(th).

En inglés americano, prácticamente se omite siempre el the en la lengua hablada cuando se dice primero el mes; May 12 se dice May twelfth/May twelve.

En inglés británico, la fecha se escribe colocando el día en primer lugar (como en español), mientras que en inglés americano se hace a la inversa:

10/4/03 = 10th April 2003, inglés británico
4/10/03 = 10th April 2003, inglés americano (10/4/03 = 4th October 2003 en americano)

★ Para leer los años, se separan las dos primeras cifras de las dos últimas: 1945 (19/45) = nineteen forty-five (literalmente: diecinueve, cuarenta y cinco). El uso de hundred es posible, pero poco frecuente: se utiliza en un registro muy elevado: 1945 = nineteen hundred and forty-five (mils novecientos cuarenta y cinco).

★ Falso amigo: actual significa «real», «verdadero». Para traducir «actual» se utlizará present o current.

take an actual example
toma un ejemplo concreto

take a current example
toma un ejemplo actual

Véanse también los capítulos:

61 NUMBERS
LOS NÚMEROS

zero, *(Brit.)* nought	*cero*
one	*uno*
two	*dos*
three	*tres*
four	*cuatro*
five	*cinco*
six	*seis*
seven	*siete*
eight	*ocho*
nine	*nueve*
ten	*diez*
eleven	*once*
twelve	*doce*
thirteen	*trece*
fourteen	*catorce*
fifteen	*quince*
sixteen	*dieciséis*
seventeen	*diecisiete*
eighteen	*dieciocho*
nineteen	*diecinueve*
twenty	*veinte*
twenty-one	*veintiuno*
twenty-two	*veintidós*
thirty	*treinta*
forty	*cuarenta*
fifty	*cincuenta*
sixty	*sesenta*
seventy	*setenta*
seventy-one	*setenta y uno*
seventy-two	*setenta y dos*
eighty	*ochenta*
eighty-one	*ochenta y uno*
ninety	*noventa*
ninety-one	*noventa y uno*
a/one hundred	*cien*
a/one hundred and one	*ciento uno*
a/one hundred and sixty-two	*ciento sesenta y dos*
two hundred	*doscientos*
two hundred and two	*doscientos dos*
a/one thousand	*mil*

nineteen ninety	*mil novecientos noventa*
two thousand	*dos mil*
ten thousand	*diez mil*
a/one hundred thousand	*cien mil*
a/one million	*un millón*
a/one billion	*un millardo (mil millones)*
a/one trillion	*un billón (un millón de millones)*
first	*primero*
second	*segundo*
third	*tercero*
fourth	*cuarto*
fifth	*quinto*
sixth	*sexto*
seventh	*séptimo*
eighth	*octavo*
ninth	*noveno*
tenth	*décimo*
eleventh	*undécimo*
twelfth	*duocécimo*
thirteenth	*decimotercero*
fourteenth	*decimocuarto*
fifteenth	*decimoquinto*
sixteenth	*decimosexto*
seventeenth	*decimoséptimo*
eighteenth	*decimoctavo*
nineteenth	*decimonoveno*
twentieth	*vigésimo*
twenty-first	*vigésimo primero*
twenty-second	*vigésimo segundo*
thirtieth	*trigésimo*
fortieth	*cuadragésimo*
fiftieth	*quincuagésimo*
sixtieth	*sexagésimo*
seventieth	*septuagésimo*
seventy-first	*septuagésimo primero*
eightieth	*octogésimo*
eighty-first	*octogésimo primero*
ninetieth	*nonagésimo*
ninety-first	*nonagésimo primero*
hundredth	*centésimo*
hundred and twentieth	*centésimo vigésimo*
two hundredth	*ducentésimo*
thousandth	*milésimo*
two thousandth	*dos milésimo*
millionth	*millonésimo*

figure	*cifra*
number	*número*

a/one hundred/thousand pounds
cien/mil libras

one million euros
un millón de euros

two point three (2.3)
dos coma tres (2,3)

5,359
5.359

fifty **per cent**
cincuenta por ciento

Henry VIII (the Eighth)
Enrique VIII (octavo)

John Paul II (the Second)
Juan Pablo II (segundo)

twenty **plus** three equals twenty-three
veinte más tres son veintitrés

twenty **minus** three equals seventeen
veinte menos tres son diecisiete

twenty **multiplied by** four equals eighty
veinte por cuatro son ochenta

twenty **divided by** four equals five
veinte dividido entre/por cuatro son cinco

Nota:

★ En inglés británico, **a thousand million** fue, en el pasado, mil millones (10^9), **a billion,** un billón (un millón de millones, 10^{12}), y **a trillion,** un trillón (un millón de billones, 10^{18}). Hoy, sólo se usan los valores que se indican en el listado, que son de origen estadounidense.

Obsérvese también el empleo de la coma para indicar el millar, mientras que en español se utiliza el punto.

62 QUANTITIES
CANTIDADES

to calculate	*calcular*
to count	*contar*
to weigh	*pesar*
to measure	*medir*
to share	*compartir*
to divide	*dividir*
to distribute	*distribuir*
to share out	*repartir*
to fill	*llenar*
to empty	*vaciar*
to remove	*quitar, llevarse*
to lessen	*disminuir*
to reduce	*reducir*
to increase	*aumentar, incrementar*
to add	*añadir, sumar*
to be enough	*ser suficiente, bastar*
nothing	*nada*
everything	*todo*
all the...	*todo el/toda la... todos los/todas las*
the whole...	*todo(a), en su totalidad*
something	*algo*
some	*uno(s), alguno(s), un poco de*
several	*varios*
each	*cada, cada uno*
every	*cada*
everybody, everyone	*todos, todo el mundo*
little	*un poco de (+ sustantivo incontable)*
a little	*un poco*
a little bit of	*un poquito de*
few	*un poco de (+ sustantivo contable)*
a few	*unos pocos, algunos*
a lot (of), *(fam.)* lots (of)	*mucho, muchos*
much	*mucho (+ sustantivo incontable), muy (+ adjetivo)*
many	*muchos, muchas*
no...	*nada de...*
no more	*no más, basta de*
more	*más*
less	*menos*

most	*la mayor parte/mayoría, el/la más*
enough	*bastante, suficiente*
too much	*demasiado*
about	*alrededor de, unos...*
more or less	*más o menos*
scarcely	*apenas, escasamente*
just	*justo, exactamente, sólo*
absolutely	*absolutamente, por completo*
at the most	*todo lo más, como mucho*
only	*sólo, solamente*
at least	*al/por lo menos*
half (of)	*la mitad (de)*
a quarter (of)	*un cuarto (de)*
a third (of)	*un tercio (de)*
...and a half	*... y medio(a)*
one and a half	*uno y medio*
two-thirds	*dos tercios*
three-quarters	*tres cuartos*
the whole	*todo*
rare	*raro, escaso*
numerous	*numeroso*
equal	*igual*
extra	*extra, suplementario*
full	*lleno*
empty	*vacío*
single	*solo, sencillo, individual*
double	*doble*
treble	*triple*
a heap (of)	*un montón (de)*
a stack (of)	*un montón (de)*
a piece (of)	*un pedazo (de)*
a slice (of)	*una rebanada (de)*
a glass (of)	*un vaso (de)*
a plate (of)	*un plato (de)*
a box (of)	*una caja (de)*
a tin (of) *(Brit.)*	*un bote, una lata (de) (conservas, etc.)*
a packet (of) *(Brit.)*	*un paquete (de)*
a mouthful (of)	*un bocado/sorbo (de)*
a spoonful (of)	*una cucharada (de)*
a handful (of)	*un puñado (de)*
a pair (of)	*un par (de)*
a large number of	*un gran número de*
masses of	*muchísimo, montones de, cantidades de*
a crowd (of)	*una multitud (de) (personas)*

a part (of)	*una parte (de)*
a dozen	*una docena*
half a dozen	*media docena*
a score (of)	*una veintena (de)*
a gross (of)	*doce docenas*
hundreds	*cientos*
thousands	*miles, millares*
the rest (of)	*el resto (de)*

weights and measurements — pesos y medidas

ounce	*onza, ≃ 30 g*
gram(me)	*gramo*
pound	*libra, ≃ 0,5 kg*
kilo	*kilo, kilogramo*
stone *(Brit.)*	*≃ 6,5 kg*
ton	*tonelada*
litre	*litro*
pint	*pinta, ≃ 0,5 l*
gallon	*galón, (Brit.) ≃ 4,5 l, (U.S.) ≃ 3,8 l*
inch	*pulgada, ≃ 2,5 cm*
foot	*pie, ≃ 30 cm*
centimetre	*centímetro*
yard	*yarda, ≃ 90 cm*
metre	*metro*
kilometre	*kilómetro*
mile	*milla, ≃ 1,6 km*

---

there isn't **much** money left
no queda mucho dinero más

there were **many of** them
había muchos de ellos

we spent **much of** the time arguing
pasamos la mayor parte del tiempo discutiendo

she got cards from all her **many** admirers
recibió cartas de sus numerosos admiradores

she needs **a little** attention
necesita un poco de atención

she needs **little** attention
necesita poca atención

they have **a few** paintings
tienen unos cuantos cuadros

they have **few** paintings
tienen pocos cuadros

Nota:

★ Hundred *(cien)*, thousand *(mil)*, million *(millón)*, dozen *(docena)*, score *(veintena)* y gross *(dos docenas)* no forman el plural con **-s** final cuando van precedidos de un adjetivo numeral. Hay una diferencia de construcción con el español en el caso de «millón», «mil millones» y «docena»:

five hundred/thousand/million people
quinientas personas/cinco mil personas/cinco mil millones de personas

two dozen eggs
dos docenas de huevos

we'll order **three gross**
encargaremos treinta y seis docenas

Pero las construcciones coinciden en inglés y español en los siguientes casos:

there were **hundreds/thousands/millions of** them
había centenares, miles, miles de millones

I've told you **dozens of** times
te lo he dicho cientas de veces (montones de veces, mil veces)

★ Las unidades de pesos y medidas **foot** y **pound** pueden escribirse en plural o en singular:

Kate is five **foot/feet** eight
Kate mide un metro sesenta y dos

that comes to three **pound(s)** fifty
debe de pesar un kilo y setenta y cinco gramos (tres libras y media)

63 DESCRIBING THINGS DESCRIBIENDO LAS COSAS

size	*talla, tamaño*
width	*anchura, ancho*
breadth	*anchura, amplitud*
height	*altura*
depth	*profundidad*
beauty	*belleza*
ugliness	*fealdad*
appearance	*aspecto, apariencia*
shape	*forma*
quality	*calidad*
tall	*grande, alto*
big	*grande*
small	*pequeño*
little	*pequeño*
enormous	*enorme*
huge	*enorme, inmenso*
tiny	*diminuto, minúsculo*
microscopic	*microscópico*
wide	*ancho*
broad	*ancho, extenso*
narrow	*estrecho*
thick	*grueso (espesor)*
large	*grande*
fat	*grande, gordo*
thin	*delgado, flaco*
slim	*delgado*
flat	*llano, plano*
deep	*profundo*
shallow	*poco profundo*
long	*largo*
short	*corto*
high	*alto*
low	*bajo*
lovely	*encantador, precioso*
beautiful	*bello, hermoso*
good	*bueno*

better	*mejor*
the best	*el mejor*
pretty	*bonito*
cute	*lindo, bonito, mono (fam.)*
marvellous	*maravilloso*
magnificent	*magnífico*
imposing	*impresionante, imponente*
superb	*espléndido, soberbio*
fantastic	*fantástico*
extraordinary	*extraordinario*
excellent	*excelente*
perfect	*perfecto*
ugly	*feo*
bad	*malo*
mediocre	*mediocre*
worse	*peor*
the worst	*el peor*
appalling	*espantoso, horrible*
dreadful	*espantoso*
atrocious	*atroz*
defective	*defectuoso*
light	*ligero, leve*
heavy	*pesado*
hard	*duro*
firm	*firme*
shiny	*brillante*
solid	*sólido*
sturdy	*robusto, sólido*
soft	*suave, blando*
delicate	*delicado*
fine	*fino*
smooth	*liso, suave*
hot	*caliente*
warm	*templado*
cold	*frío*
fresh	*fresco*
cool	*fresco (temperatura)*
lukewarm	*tibio, templado*
dry	*seco*
wet	*húmedo*
damp	*húmedo*
moist	*húmedo, mojado*
liquid	*líquido*
simple	*sencillo, simple*

complicated	*complicado*
difficult	*difícil*
easy	*fácil*
handy	*práctico*
useful	*útil*
useless	*inútil*
old	*viejo*
ancient	*antiguo*
new	*nuevo*
modern	*moderno*
out-of-date	*pasado de moda, anticuado*
up-to-date	*moderno, actual*
worn-out	*gastado*
clean	*limpio*
dirty	*sucio*
disgusting	*asqueroso*
curved	*curvado*
straight	*recto, derecho, erguido*
round	*redondo*
circular	*circular*
oval	*ovalado*
rectangular	*rectangular*
square	*cuadrado*
triangular	*triangular*
very	*muy*
too	*demasiado*
rather	*más bien*
quite	*bastante, suficiente*
well	*bien*
badly	*mal, malamente*
better	*mejor*
the best	*el mejor*

what's it like?
¿cómo es?

their house is a bit like ours
su casa es un poco como la nuestra

5 cm wide
5 cm de ancho

10 m high
10 m de alto

the boards are 20 cm thick
las planchas tienen 20 cm de espesor

in the shallow waters
en aguas poco profundas

Nota:

★ Falso amigo: large significa grande. Para traducir «ancho» se utilizan los adjetivos wide o broad.

Por otra parte, la palabra inglesa important nunca se emplea en un sentido cuantitativo. Únicamente se usa para describir el valor cualitativo de alguna cosa. Para traducir el sentido cuantitativo de la palabra española «importante» se utiliza el adjetivo large. Por ejemplo:

a large number of pupils
un gran número de alumnos

a large amount of money
una importante cantidad de dinero

64 COLOURS Colores

colour, *(U.S.)* color	*color*
beige	*beis, beige*
black	*negro*
blue	*azul*
brown	*marrón*
flesh-coloured, *(U.S.)* flesh-colored	*color carne*
gold	*oro*
golden	*dorado*
green	*verde*
grey, *(U.S.)* gray	*gris*
lilac	*lila*
mauve	*malva*
navy (blue)	*azul marino*
orange	*naranja*
pink	*rosa*
purple	*morado, púrpura*
red	*rojo*
silver	*plata*
turquoise	*(azul) turquesa*
violet	*violeta*
white	*blanco*
yellow	*amarillo*
dark	*oscuro*
bright	*brillante, vivo*
pale	*pálido*
plain	*liso*
multicoloured, *(U.S.)* multicolored	*multicolor*
light	*claro*
dark	*oscuro*
light green	*verde claro*
dark green	*verde oscuro*

what colour is it?
¿de qué color es?

it's sky blue
es azul celeste

it's reddish/greenish
es rojizo/verdoso

judging by the yellowness of her skin
a juzgar por el tono amarillo de su piel

Nota:

★ En inglés se suprime el artículo delante de los nombres de los colores:

ø blue is his favourite colour
el azul es su color favorito

65 MATERIALS
MATERIALES

real	*verdadero, auténtico*
natural	*natural*
synthetic	*sintético*
artificial	*artificial*
man-made	*artificial, sintético*
material	*material, tejido*
composition	*composición*
substance	*sustancia*
raw material	*materia prima*
product	*producto*
earth	*tierra*
water	*agua*
air	*aire*
fire	*fuego*
stone	*piedra*
rock	*roca*
ore	*mineral, mena*
mineral	*mineral*
precious stones	*piedras preciosas*
crystal	*cristal*
marble	*mármol*
granite	*granito*
diamond	*diamante*
clay	*arcilla*
oil	*petróleo*
gas	*gas*
metal	*metal*
aluminium, *(U.S.)* aluminum	*aluminio*
bronze	*bronce*
copper	*cobre*
brass	*latón*
tin	*estaño, hojalata*
pewter	*peltre (aleación de cinc, plomo y estaño)*
iron	*hierro*
steel	*acero*
lead	*plomo*

gold	*oro*
silver	*plata*
platinum	*platino*
wire	*alambre, cable*
wood	*madera*
pine	*pino*
cane	*caña*
wickerwork	*mimbre*
straw	*paja*
bamboo	*bambú*
plywood	*madera contrachapada*
concrete	*hormigón*
cement	*cemento*
brick	*ladrillo*
plaster	*yeso, argamasa*
putty	*masilla*
glue	*cola, pegamento*
glass	*cristal*
cardboard	*cartón*
paper	*papel*
plastic	*plástico*
rubber	*goma, caucho*
earthenware	*cerámica, alfarería*
china	*porcelana*
stoneware	*gres, cerámica*
sandstone	*arenisca*
wax	*cera*
leather	*cuero*
fur	*piel*
suede	*ante*
sheepskin	*piel de borrego*
acrylic	*acrílico*
cotton	*algodón*
denim	*tela de jeans/vaquera*
lace	*encaje, puntilla*
wool	*lana*
fleece	*lana, vellón*
linen	*lino*
nylon	*nailon*
polyester	*poliéster*
silk	*seda*
synthetic material	*tejido sintético*

man-made fibre	*fibra artificial/sintética*
canvas	*lienzo*
oilcloth	*hule*
tweed	*lana escocesa, tweed*
cashmere	*cachemira*
velvet	*terciopelo grueso*
velour(s)	*terciopelo (muy fino)*
corduroy, cord	*pana*

---

the house is made of wood
esta casa está hecha de madera

a wooden spoon
una cuchara de madera

the Stone Age
la Edad de Piedra

the Iron Age
la Edad de Hierro

I need some curtain material
necesito algo de tejido para cortinas

Nota:

★ Al contrario que en algunos casos en español, el artículo, en inglés, no se utiliza delante de los nombres de los materiales:

ø concrete is used less nowadays
actualmente el hormigón se utiliza menos

it's ø china
es de porcelana

66 DIRECTIONS
DIRECCIONES

to ask	*preguntar, pedir*
to point out	*indicar*
to show	*mostrar*
take	*tome/a, coja/coge (usted/tú)*
keep going	*continúe*
follow	*siga*
go past	*pase por delante*
go back	*vuelva, regrese*
reverse	*recule, haga marcha atrás*
turn right/left	*gire a la derecha/izquierda*
take a right/a left *(U.S.)*	*tome la derecha/izquierda*

directions las direcciones

left	*izquierda*
right	*derecha*
on/to the left	*a la izquierda*
on/to the right	*a la derecha*
straight ahead/on	*todo recto*
where	*donde*
in front of	*delante/enfrente de*
behind	*detrás*
on	*en, sobre*
under	*bajo*
beside	*al lado de*
opposite	*enfrente*
in the middle of	*en medio de*
along	*a lo largo de*
at the end of	*al final de*
between	*entre*
after	*después*
just before	*justo después*
for... metres	*unos... metros*
first on the right	*la primera a la derecha*
second on the left	*la segunda a la izquierda*

the points of the compass — los puntos cardinales

south	*sur*
north	*norte*
east	*este*
west	*oeste*
north-east	*nordeste*
north-west	*noroeste*
south-east	*sudeste*
south-west	*sudoeste*

can you tell me the way to the station?
¿puede indicarme el camino a la estación?

is it far from here?
¿está lejos de aquí?

ten minutes from here
a diez minutos de aquí

100 metres away
a 100 metros

to the left of the post office
a la izquierda de la oficina de correos

after the traffic lights
después del semáforo

at the next crossroads
en el próximo cruce

south of Newcastle
al sur de Newcastle

London is in the south of England
Londres está en el sur de Inglaterra

Spain is to the south of France
España está al sur de Francia

France is to the south of England
Francia está al sur de Inglaterra

ÍNDICE ALFABÉTICO

Los números que figuran en este índice no corresponden a números de página, sino que remiten a los capítulos donde se puede encontrar el término en cuestión, así como todos aquellos asociados temàticamente a él.

ÍNDICE ALFABÉTICO

ÍNDICE ALFABÉTICO